MYSTERIE
14|18

RICHARD HEIJSTER

Mysterie
14 | 18

De Eerste Wereldoorlog
onverklaard

CINÉTOL

lannoo

Voor mijn moeder

www.lannoo.com
© Uitgeverij Lannoo nv, Tielt, 1999
Omslagontwerp Dooreman
Kaarten Van Eijk Productions, Veldhoven
Tekeningen Erik de Jonge, Veldhoven
Foto's archief R. Heijster tenzij anders vermeld
D/1999/45/251 - ISBN 90 209 3801 0 - NUGI 641
Niets uit deze uitgave mag worden verveelvoudigd
en/of openbaar gemaakt door middel van druk, fotokopie,
microfilm of op welke wijze ook zonder voorafgaande
schriftelijke toestemming van de uitgever.
Gezet, gedrukt en gebonden bij Drukkerij Lannoo nv, Tielt

Inhoud

'... es wird künftig, ich weiss nicht wo oder wenn, noch bewiesen werden: dass die menschliche Seele auch in diesem Leben noch in einer unauflöslich verknüpften Gemeinschaft mit allen immateriellen Naturen der Geisterwelt stehe, dass sie wechselweise in diese wirke und von ihnen Eindrücke empfange, deren sie sich aber als Mensch nicht bewusst ist, so lange alles wohl steht.'

Immanuel Kant, *Träume eines Geistersehers,* 1766

Voorwoord

Beste Richard,

Zeer geboeid las ik in Mysterie 14/18 over de menselijke kant van de Eerste Wereldoorlog. Het maakte me bewust van de bijzondere plek die deze oorlog in onze geschiedenis inneemt. Het onderstreept hoe enorm belangrijk deze periode is geweest in de evolutie van de mens. Je toont aan dat de geestelijke ontwikkeling van de mensheid volgens een bepaald patroon verloopt. Niets gebeurt voor niets, maar dat wil niet zeggen dat elke dag in ons leven vaststaat en dat we ons leven niet meer hoeven te leven. Je laat zien dat mensen die een extra gevoeligheid hebben, ons zinnige dingen kunnen vertellen over de weg en de richting die we als mensheid gaan.

Tijdens oorlogen doen zich momenten voor waarbij mensen gedwongen worden om tot het uiterste te gaan, waardoor ze zichzelf ontstijgen. Bewust of onbewust maken ze gebruik van een veel grotere wereld dan de lichamelijke. Op die vreselijke ogenblikken is er iets wat hen erdoorheen draagt. We kennen het fysieke, het geestelijke en het hogere geestelijk Zijn. Dit hogere geestelijk Zijn zorgt ervoor ,dat je in dergelijke situaties door kunt gaan. Ook in het dagelijkse leven kennen we dit: stel, dat ik ziek in bed lig en niet meer vooruit kan. Op het moment dat ik weet dat mijn kinderen op straat spelen en ik piepende banden hoor, sta ik, hoe ziek ik ook ben, binnen enkele seconden op straat. Er gaat iets met me aan de haal; ik maak gebruik van een ander energetisch systeem. Als alle logica ophoudt, er geen uitweg meer is, je in de put zit en je bovendien nog eens dodelijk vermoeid bent, kun je dingen waarnemen die er altijd al geweest zijn maar die je gewoonlijk niet ziet. De beroemde blokkades van je denken en je overtuigingen zijn dan verdwenen. Als die illusies zijn neergesabeld, nemen mensen een andere wereld waar. Die momenten tonen aan dat mensen boven zichzelf kunnen uitstijgen om uit een ander vaatje te tappen.

Dat was natuurlijk ook het geval in de jaren 1914-1918. Je ergens niet welkom voelen, of juist wel; schimmen zien of levensechte ontmoetingen hebben met overleden soldaten, zoals de ooggetuigenverslagen melden in je boek. De verschijningen van entiteiten en de aanwezigheid van energie op de voormalige slagvelden van de Eerste Wereldoorlog zijn voor mij duidelijk en verklaarbaar. Zelfs in het klein kun je dergelijke fenomenen ervaren als je bijvoorbeeld in een huis bent waar verschrikkelijke dingen zijn gebeurd. De sfeer en de energie blijven er hangen, en misschien geldt dat zelfs voor de geest van de persoon die erbij betrokken was. Het is niet moeilijk je voor te stellen wat er blijft hangen op de slagvelden van deze verschrikkelijke loopgravenoorlog, waar duizenden, tienduizenden of zelfs honderdduizenden doden zijn gevallen. Dat je na al die tijd die energie nog kunt waarnemen, is voor mij een mooi bewijs dat de dood niet het einde van het leven is. De geest leeft verder met alle ervaringen die hij heeft opgedaan.

Je lezers hoeven het van jou niet als een bewijs te zien. Toch zal het voor velen een bevestiging zijn van het bestaan van een leven na de dood, en zal het de meer sceptische lezer op zijn minst aan het denken zetten. Het is de gerichtheid die bepaalt wat je ziet. Stel je voor dat je nog nooit een ronde vorm hebt gezien. Als je dan in een kamer komt waarin zich allerlei vormen bevinden, waaronder een bal, is de kans groot dat je die bal niet ziet. Je herkent het niet. Je ziet alleen wat je wilt zien, wat je gerichtheid is. Daarom noemen we het ook herkennen. Je kunt het pas zien als je het (her)kent. Dat kunnen zien heeft te maken met 'bewustzijn'. Met andere woorden: als je ontkent dat er meer is dan alleen het fysieke, dan zul je makkelijk aan het spirituele voorbijgaan. Ontken je dat reïncarnatie bestaat, dan is het niet moeilijk bij de gedachte te blijven dat de dood het einde is. Pas als je je erin verdiept en ervoor openstaat, merk je dat je ontzettend veel informatie en kennis over dit onderwerp kunt vinden. Dan ontdek je bijvoorbeeld dat driekwart van de wereldbevolking overtuigd is van het bestaan van reïncarnatie.

Het mooie van je boek is dat je zaken bij elkaar raapt die door veel mensen als abnormaal worden beschouwd. Maar je boek is geen potpourri van sterke verhalen geworden. Het is een weergave van ware gebeurtenissen die net zo normaal zijn als alle andere ons bekende ervaringen. Er zijn niet veel schrijvers die een oorlog belichten zoals jij dat hier doet. Het bijzondere van Mysterie 14/18 is dat het geschreven is door iemand met veel kennis, overzicht en inzicht. Door iemand die de complexe materie van de Eerste Wereldoorlog beheerst. Door over de spirituele kant van deze oorlog te schrijven, neem je als serieus schrijver een bewust risico. Ik waardeer het enorm dat je dit hebt aangedurfd. Je schrijft op je eigen doorwrochte manier, met de neutraliteit van een wetenschapper, het oordeel aan de lezer overlatend. Los van de inhoud geeft dat een grote meerwaarde aan dit boek.

In Mysterie 14/18 heb je het soort verhalen op een rijtje gezet die iedereen wel eens gehoord heeft. Je dook erin en daardoor kwam je de verhalen tegen; ze vielen je toe. Natuurlijk ging alles door jouw filter. En dat is de allerbeste filter die we kunnen hebben voor deze periode uit onze geschiedenis.

Ronald Jan Heijn, Amsterdam, augustus 1999

Dankwoord

Met dank aan:

Joellyn Auklandus, Karl Barwasser, Claudia Bielefeld, Peter Borgers, Aad Brouwer, Hans de Bruyn, Robert Holtjer, Jaap Kerkhoven, Ria Kerstens, Dries Kroos, Lola Latten, Fatih Özdere, Rob Ruggenberg, Eric Taal, Nicolette van der Weide, Rob van Zanten,

Jan Breyne, stadssecretaris van de stad Ieper,
Tony R. De Bruyne, auteur en vice-voorzitter van de Western Front Association België, Ieper,
Dr. Wim Klinkert, Koninklijke Militaire Academie, Breda,

en iedereen die op welke manier dan ook een bijdrage leverde tot de totstandkoming van dit boek.

Speciale dank gaat uit naar (in alfabetische volgorde):

Hans Andriessen, Akersloot. Een inspirerende persoonlijkheid en goede vriend. Als – bijna – tegenpolen vullen onze karaktereigenschappen zich – bijna – naadloos aan. Meermaals heb ik van zijn enorme parate kennis gebruik mogen maken.

Wout de Bie, Rotterdam. Een taalpurist met wie ik tot in de late uurtjes discussieerde over belangrijke en onbelangrijke taalkundige kwesties. Dit altijd tot groot wederzijds genoegen.

Luitenant-kolonel der Artillerie b.d. Joop Buitenhuis, Teteringen. Wederom kon ik op deze vriend rekenen. Zonder zijn bijdrage zou dit boek wezenlijk minder kwaliteit hebben. Zijn al dan niet vakmatige opmerkingen en opbouwende kritiek waren onmisbaar; zijn 'groene licht' was een enorme steun.

Mevrouw Lanayre Liggera, Chairman of the Western Front Association, New England - New York Chapter, USA. Doordat Lannie haar gevoelens en inzichten zo bloot durfde te geven werd mijn blikveld menigmaal verruimd.

Jacques Rijckebosch, Talbot House, Poperinge. Een man die het woord gastvrijheid een bijzondere betekenis geeft. Ik kon altijd bij hem terecht voor goede raad en andere hulp.

Peter Wagener, Breda. Peter dook voor mij in het archief van het *Dagblad van Noord-Brabant*, de voorloper van *De Stem*, en bekeek daar honderden microfiches. Zijn speurwerk leverde veel bruikbaar materiaal op, waar ik dankbaar gebruik van heb gemaakt. Een bijzonder man.

Inleiding

Al jarenlang besteed ik een groot deel van mijn vrije tijd aan het oude front van de Eerste Wereldoorlog, vaak in gezelschap van mijn zoon Jeroen (1989). Thuis ben ik vrijwel dagelijks bezig deze oorlog te analyseren door onder andere het lezen van boeken, het schrijven naar archieven en het raadplegen van experts. Eind 1994 kwam mijn eerste boek uit, *Verdun, breuklijn der beschaving*. Het verscheen bij uitgeverij Elmar. In de periode dat ik bezig was met de afsluitende werkzaamheden voor mijn tweede boek, *Ieper '14-'18* (uitgeverij Lannoo 1998), werd ik gevraagd om mee te werken aan een documentaire. De Evangelische Omroep wilde deze op 11 november 1997 uitzenden in het televisieprogramma 2Vandaag. Onder leiding van een bevriende historicus en twee landmacht-hoofdofficieren b.d. gingen we per auto op weg naar Verdun. De bekende Nederlandse zanger/duizendpoot/filosoof Bram Vermeulen had een voorwoord voor mijn nieuwe boek geschreven. Om de tijd tijdens de lange reis wat te doden las ik zijn woorden voor, en wat voordien altijd onbesproken was gelaten werd eindelijk bespreekbaar. Alle vier waren we van mening dat er nog steeds 'iets magisch' boven de slagvelden hangt. Iets ongrijpbaars, onverklaarbaar maar duidelijk voelbaar. De woorden van Bram Vermeulen zorgden ervoor dat de lange reis aanmerkelijk korter leek, we spraken over gebeurtenissen en gevoelens die we nooit met anderen hadden gedeeld. Zelf maakte ik ooit iets mee met wie later mijn ex-vrouw zou worden; ze kon tot mijn stomme verbazing op 11 november 1994, tijdens een tocht over en bij de slagvelden in de buurt van Verdun, door hyperventilatie en kippenvel precies aangeven waar wel en waar niet was gevochten. Enige kennis van het gevechtsterrein had ze niet; sowieso had ze nooit enige interesse getoond voor de Eerste Wereldoorlog.

Terug in Nederland bleef een en ander me bezighouden. Iedere maand breng ik gewoontegetrouw een bezoekje aan de tweedehandsafdeling van De Slegte in Rotterdam. Zo ook in november 1997. In de kelder aangekomen zag ik een obscuur Engelstalig boekje dat ooit eens in eigen beheer was uitgegeven. Het ging over het onderwerp dat mij op dat moment zo intrigeerde. Het was weliswaar niet toegespitst op de Eerste Wereldoorlog, maar toch... Het leek wel of het boekje op mij stond te wachten. Ik besloot me in het magische van *Den Grooten Oorlog* te gaan verdiepen maar was bang mijn bevindingen te publiceren. Voorzichtig ging ik gesprekken aan met mensen van wie ik wist dat ze regelmatig aan het 'oude Westfront' vertoeven. Het bleek dat vrijwel iedereen die ik sprak in mindere of meerdere mate te maken heeft gehad met onverklaarbare en ongrijpbare verschijnselen. De een voelde zich bespied op een volkomen verlaten plek, een ander voelde dat hij ergens niet welkom was en ging zo snel mogelijk ergens anders naartoe. Mijn vriend en collega-schrijver historicus Hans Andriessen gaf me, toen we er tijdens een zeiltocht over spraken, het laatste duwtje in de rug toen hij zei: 'Als iemand een boek over een dergelijk onderwerp kan schrijven, dan ben jij dat wel.' Een erg vleiende uitspraak die ik in gedachten echter al snel relativeerde. Maar tevens een uitspraak die me wel degelijk bezig bleef houden. Als schrijver van twee historische boeken besefte ik dat ik me op heel glad ijs begaf als ik deze materie niet degelijk en vakmatig zou aanpakken. Ik nam me dan ook stellig voor om me niet te vertillen aan wazige conclusies of een al te bereidwillige spirituele benadering. Een ander voornemen was om mijn persoonlijke mening zoveel mogelijk buiten beschouwing te laten en te gaan fungeren als een soort geëngageerd doorgeefluik.

15

Het boek dat u nu in uw handen hebt is voor mij het logisch vervolg op mijn boeken over Verdun en Ieper. Of was het misschien nodig dat ik mijn eerste twee boeken schreef om aan te tonen dat ik geschiedkundig voldoende in mijn mars heb om het derde boek historisch te kunnen onderbouwen? Waren mijn eerste twee boeken nodig als solide basis voor mijn meningsvorming omtrent het paranormale dat de Eerste Wereldoorlog, naar mijn stellige overtuiging, nog altijd omringt? Verbazing, dat is mijn sleutelwoord inzake The Great War. Dit boek is een warme uitnodiging om zich met mij te verbazen. Conclusies worden in dit boek slechts zelden getrokken, maar zoveel mogelijk overgelaten aan de lezer.

In de verenigingsbladen van de Western Front Association (de leden van deze vereniging houden zich bezig met de bestudering van de Eerste Wereldoorlog) van Nederland en België, alsmede bij enkele historische verenigingen in Duitsland, plaatste ik een oproep tot hulp. Ook legde ik dezelfde hulpvraag neer bij een mailinglist op Internet waar historici van over de hele wereld met elkaar discussiëren over de Eerste Wereldoorlog. Een journalist uit Son, Rob Ruggenberg, werkzaam voor onder andere het *Eindhovens Dagblad*, besteedde aandacht aan mijn vraag op zijn eigen homepage over de Eerste Wereldoorlog.
Langzamerhand begonnen de reacties binnen te komen en voor velen was mijn oproep een soort bevrijding: ze bleken jaren te hebben rondgelopen met iets waarover ze niet durfden te praten uit angst om voor gek te worden versleten.

Het Nederlands Dagblad schreef op 29 augustus 1998 over mijn nieuwe boek: 'Het komt in 1999 uit, vlak voor het nieuwe millennium, als zelfs de oppervlakkigste mens naar reflectie neigt.' Ook ik heb het idee dat mijn boek op het juiste moment verschijnt. Van diverse kanten werd me hulp aangeboden, hulp waar ik toen ik begon met schrijven nauwelijks op rekende. Zo kwam dagblad *Trouw* op 5 december 1998 met een fors artikel over mijn voornemen een boek te schrijven over de mysteries van het oude Westfront. Onverwachte hulp kwam van het maandblad *ParaVisie*, dat in hun januarinummer van 1999 een pagina aan mijn nieuw te verschijnen boek besteedde. En zelfs nu nog, terwijl ik de werkzaamheden aan dit boek zo langzamerhand aan het beëindigen ben, blijven de reacties binnenkomen.

Ook u kunt op dit boek reageren. Verhalen over uw belevenissen op het voormalige gevechtsterrein en andere ervaringen met betrekking tot het paranormale van de Eerste Wereldoorlog zijn van harte welkom bij Uitgeverij Lannoo nv, Kasteelstraat 97, B-8700 Tielt. Wie weet, wellicht kan ik het gebruiken voor een eventueel vervolg op dit boek.

Als dit boek al enige pretentie heeft, dan is het zeker niet dat het compleet wil zijn. Het is volgens mij vrijwel onmogelijk om alle verhalen over de Eerste Wereldoorlog die buiten de grenzen van het normale vallen bijeen te brengen. Bovendien reken ik mij niet tot de grote experts op het gebied van paranormale zaken, zodat ik niet overal een mogelijke verklaring voor kan geven.

Wat dit boek wel wil zijn is een aanzet tot (een nieuwe manier van) denken, het wil de overtuiging uitdragen dat er meer is dan datgene wat we doorgaans als normaal beschouwen. Met welke intentie u dit boek dan ook leest – om uzelf te verbazen bij de open haard, om bevestiging van een vermoeden te vinden of misschien wel om uw visie op het leven te veranderen – ik wens u alvast veel leesplezier.

Overigens treft u in dit boek meerdere vertalingen uit het Engels en Duits aan. Ik heb er bewust voor gekozen zo puur en rechtstreeks mogelijk te vertalen, met als resultaat niet altijd even mooi Nederlands. Toch denk ik u hiermee een dienst te hebben bewezen doordat op deze manier de betekenis van de Nederlandse tekst zo min mogelijk afwijkt van het origineel.

Richard Heijster, Geldrop, september 1999

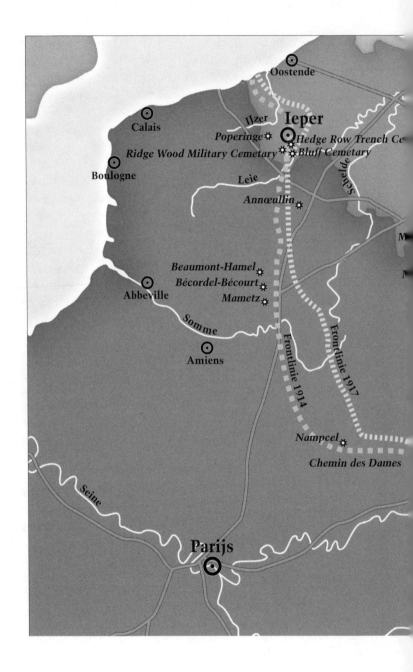

Oostende

Calais

IJzer   **Ieper**
Poperinge ✽   Hedge Row Trench Ce
Ridge Wood Military Cemetary ✽ ✽ *Bluff Cemetary*

Boulogne

Leie

Annœullin ✽

M

Beaumont-Hamel ✽   M
Bécordel-Bécourt ✽
Abbeville   *Mametz* ✽

Somme

Amiens

Frontlinie 1914   Frontlinie 1917

Nampcel ✽

Chemin des Dames

Seine

Parijs

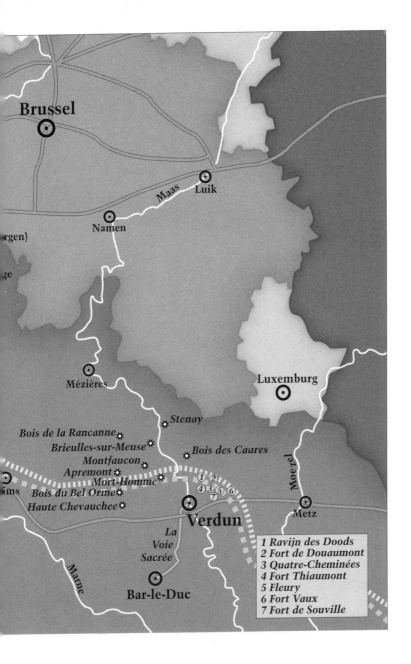

Brussel

Maas Luik

Namen

rgen)

ge

Luxemburg

Mézières

Stenay

Bois de la Rancanne
Brieulles-sur-Meuse   Bois des Caures
Montfaucon
Apremont   Moezel
Mort-Homme   ① ②
ims   Bois du Bel Orme   ④ ③ ⑤ ⑥
Haute Chevauchee   ⑦
                              Metz
                    Verdun

         La
         Voie
         Sacrée

Bar-le-Duc

Marne

| 1 Ravijn des Doods |
| 2 Fort de Douaumont |
| 3 Quatre-Cheminées |
| 4 Fort Thiaumont |
| 5 Fleury |
| 6 Fort Vaux |
| 7 Fort de Souville |

DEEL 1
De aangekondigde dood

HOOFDSTUK 1

De profetische kalender van Cheops

Al ruim 2500 jaar voor de geboorte van Christus waren er zieners die voorzagen dat 1914 een bijzonder jaar zou worden. Toen werd de piramide van Cheops gebouwd. In het imposante bouwwerk bevindt zich nog steeds een granieten plaat met daarop een uitsteeksel in de vorm van een hoefijzer. Het uitsteeksel heeft de dikte van een duim, de omtrek is precies vijfentwintig duim. De bekende piramidedeskundigen Greaves, Piazzi Smith, Davidson en anderen nemen aan dat het voorwerp de standaard is van waaruit de piramidale duim en de el(lebooglengte) werden afgeleid. Deze piramidale duim en de piramidale el waren de rekenkundige eenheden die gebruikt werden tijdens de bouw van de piramide van Cheops.

Diezelfde duim is van essentieel belang bij het doorgronden van de tijdlijn die zich in de piramide bevindt. Deze profetische kalender loopt vanuit de duistere galerijen naar de Koningskamer. Eén duim op de tijdlijn staat voor één jaar menselijke geschiedenis. Het chronologische verloop van de geschiedenis werd aangebracht door de hogepriesters van Memfis. Op diverse punten is de profetische tijdlijn doorsneden van fictieve of werkelijke andere lijnen. Deze kruispunten stellen de gebeurtenissen van grote historische betekenis voor.

Godgeleerden dachten lange tijd dat de geboorte van Jezus

Christus samenviel met het begin van onze jaartelling. Later bleek dat er een fout van vier jaar was gemaakt. In werkelijkheid werd Jezus vier jaar v. Chr. geboren. Op de profetische kalender van Cheops staat de geboorte van Jezus op de juiste historische plaats: vier jaar voor Christus.

Ook 4 augustus 1914 wordt gezien als een datum van ingrijpend belang. [1,2] Op die dag vielen de Duitsers België binnen, het was het begin van de gevechten in het westen. Het lijkt er dus op dat lang voor onze jaartelling vaststond dat er in 1914 wereldschokkende dingen zouden gaan gebeuren. De geschiedenis van de mensheid lijkt vast te staan en beweegt zich langs een tijdlijn. Deze tijdlijn is, naar het schijnt, in de piramide van Cheops behoorlijk nauwkeurig weergegeven.

Nostradamus

V an recentere datum dan de voorspellingen uit Cheops zijn de predicties met betrekking tot de Eerste Wereldoorlog die de Fransman Nostradamus in de zestiende eeuw deed. Nostradamus werd op 14 december 1503 als Michel de Nostredame in het Franse plaatsje Saint-Rémy geboren. Hij overleed op 2 juli 1566. Michel de Nostredame studeerde geneeskunde aan de universiteit van Montpellier en werd een bekwaam en gewaardeerd arts. Onder de naam Nostradamus bracht hij in 1555 een boek uit met toekomstvoorspellingen die nog steeds veel mensen boeien en aanzetten tot grondige bestudering.Volgens de overlevering stond Nostradamus in direct contact met de 'Geest der Eeuwen'. Hierdoor was het hem mogelijk in de toekomst te kijken. Zijn voorspellingen legde hij vast door middel van ontoegankelijke orakeltaal. Hij bediende zich hierbij van kwatrijnen, vierregelige verzen. Uit angst voor vervolging door bijvoorbeeld de Inquisitie versluierde de ziener bewust zijn boodschappen. In zijn teksten liet hij zich zo nu en dan negatief uit over de Kerk en bovendien waren zijn voorspellingen over de toekomstige positie van de Kerk niet altijd even optimistisch, levensgevaarlijk voor een schrijver in die tijd. Nostradamus leefde in een tijd waarin schrijvers hun lezers graag literaire raadseltjes opgaven. Door het versluieren van de teksten voorkwam hij dat de inhoud bij de massa bekend werd; wellicht maakte hij een bewuste keus om voor een select gezelschap van ingewijden te schrijven.

In de loop der eeuwen zijn veel boeken over de voorspellingen van Nostradamus verschenen. Iedere schrijver interpreteert de vaak dubbelzinnige en soms duistere taal op zijn eigen wijze.

De voorspellingen van Nostradamus omvatten de jaren tussen 1555 en 3797; het laatste jaar moet het begin van het Duizendjarige Vredesrijk worden.

De boodschappen, zijn visioenen, werden door Nostradamus neergeschreven in tien zogenaamde centuriën. Nummer zeven bestaat uit 44 kwatrijnen, de andere bestaan uit honderd kwatrijnen. Door middel van een tijdsleutel, een soort cijferkundig systeem, moet het mogelijk zijn de kwatrijnen in een juiste, min of meer chronologische volgorde te plaatsen. Nog steeds proberen deskundigen deze sleutel te vinden. Sommigen denken dat ze hier (gedeeltelijk) in geslaagd zijn en tonen verbluffende resultaten: de voorspellingen van Nostradamus schijnen een voor een uit te komen.

Maar Nostradamus geeft in zijn kwatrijnen ook expliciet data van gebeurtenissen en zelfs namen van personen die belangrijk zijn voor het verloop van de wereldgeschiedenis. Zo noemde hij Napoleon I bijvoorbeeld 'ne Apollyon' (= de vernietiger), Adolf Hitler voorzag hij als 'Hister' en diens mank lopende rechterhand Goebbels kreeg de bijnaam van 'Le Boiteux' (= de manke).

Volgens de Franse Nostradamus-kenner Alexander Centurio hebben de volgende versregels betrekking op het ontstaan en het verloop van de Eerste Wereldoorlog:

Avant conflict le grand tombera,   2,57
Le grand à mort, mort, trop subite & plainte:
Nay imparfaict: la plus part nagera,
Aupres du fleuve de sang la terre tainte.

Vertaling:
Voorafgaande aan de strijd zal de grote man sterven,

De grote sterft een plotselinge en beklagenswaardige dood:
De vloot is onvolmaakt, het grootste deel zal zwemmen,
Bij de rivier zal het bloed de aarde kleuren.

Verklaring:
Op 28 juni 1914 werd de uit Oostenrijk-Hongarije afkomstige
troonopvolger Franz-Ferdinand in Sarajevo vermoord; deze
gebeurtenis zorgde ervoor dat de Eerste Wereldoorlog uitbrak.
De Duitsers waren volop bezig met het opbouwen van hun oorlogsvloot die een tegenwicht moest vormen voor de opper-
machtige Britse oorlogsvloot. Aan de rivier de Marne werd de
Duitse opmars tot staan gebracht; er werd bloedig slag geleverd.

L'aisné vaillant de la fille du Roy,   4,99
Repoussera si profond les Celtiques:
Qu'ill mettra foudres, combien en et arroi,
Peu & loing puis profond és Herperiques

Vertaling:
De moedige oudste zoon van de dochter van de Koning,
Zal de Kelten (= Fransen) zo ver terugdringen:
Dat hij de bliksem kan doen inslaan waar hij wil,
Dichtbij en veraf en diep in het westen.

Verklaring:
Keizer Wilhelm II van Duitsland was de oudste zoon van de
dochter van de Britse vorstin Victoria. In 1914 moesten de
Fransen aan de Duitsers zoveel terrein prijsgeven, dat de Duitsers
met hun langeafstandskanonnen in staat waren Parijs onder vuur
te nemen.

Dedans les isles si horrible tumulte,   2,100
Bien on n'orra qu'une bellique brigue:
Tant grand sera des predateurs l'insulte,
Qu'on se viendra ranger à la ligne.

Enorm kanon in Frankrijk

Vertaling:
Op de eilanden ontstaat een enorm tumult,
Men spreekt over een oorlog door zeerovers:
De belediging door de plunderaars is zo groot,
Dat men zich zal scharen/hulp zoeken bij de liga/het bondge-
nootschap.

Verklaring:
Op de Britse Eilanden ontstond al snel een tekort aan allerlei
essentiële goederen doordat de Duitse onderzeeboten met hun
torpedo's veel van de Britse koopvaardijschepen lieten kelderen.
Groot-Brittannië zocht en vond hulp bij de Verenigde Staten.

La voix ouie de l'insolite oiseau,   2,75
Sur la carron de respiral estage:
Si hault viendra du froment le boisseau,
Que l'homme de l'homme fera Antropophage.

Vertaling:
Wanneer het geluid van ongewone vogels gehoord zal worden,
Boven de kanonnen die op buizen staan uit:
Zal het koren zo duur worden,
dat de mens menseneter zal worden.

Verklaring:
De ongewone vogels laten zich gemakkelijk vertalen in vliegtuigen, een technische noviteit die ten tijde van Nostradamus absoluut voor onmogelijk werd gehouden. De per trein aangevoerde
kanonnen, die bijvoorbeeld Parijs onder schot namen, hadden
een lange uit buizen samengestelde loop. Tijdens de oorlog ontstond een dramatisch tekort aan voedsel.

In andere kwatrijnen heeft Nostradamus het over de aanval van
de Duitsers op België. Verder spreekt hij onder andere over de
enorme inspanningen die 'het land van de adelaar' (op de oude

vlag van Duitsland staat een adelaar) zich zal getroosten om 'de eilanden' (= Engeland) op de knieën te krijgen. 'Pekballen (= brandbommen) vliegen huilend door de nacht' en hongersnood zal uitbreken. Diverse andere versregels vertellen over de revolutie in Rusland, de dood van de Romanov-dynastie en het geallieerde eindoffensief over St.Quentin. De voorspeller voorziet hoe de Duitse keizer zal vluchten, hoe Duitse troepeneenheden zich verenigen om te vechten tegen opstandelingen/revolutionairen. 'Oostenrijks(e) grond(gebied) zal rood kleuren' en 'het zal buiten de grote vergadering blijven'. Met een beetje fantasie is 'grote vergadering' te vervangen door Volkenbond, de voorloper van de Verenigde Naties. Oostenrijk werd inderdaad niet als lid opgenomen.

Allemaal voorspellingen die uitgekomen zijn en met enige goede wil zijn nog meer voorspellingen met betrekking tot de Eerste Wereldoorlog in de kwatrijnen van de Franse ziener terug te vinden. [3,4,5]

Of had de Duitse occultist Max Dessoir(1867-1947) gelijk toen hij schreef: 'Het wonder van Nostradamus zijn niet zijn teksten maar de uitlegkunst van hen die het verklaren.'

HOOFDSTUK 3
De Jehovah's Getuigen

Sommige bijbelvorsers bleken in staat om de komende slachtpartij te zien aankomen. Een frappant voorbeeld hiervan is Charles Russell. De vrome man leefde lang genoeg om het begin van zijn voorspelling waarheid te kunnen zien worden.

Charles Taze Russell (1852-1916) schreef in 1889, vijfentwintig jaar voor het uitbreken van de oorlog, in zijn *Studies in the Scriptures deel 2*: 'Het bijbelse bewijs is duidelijk en krachtig, dat de "tijden der heidenen" een periode van 2520 jaar beslaan, het jaar 606 voor Christus tot en met 1914 na Christus.' Russell was een devoot mens en voorman van de Millenial Dawners, de voorloper van de Jehovah's Getuigen.

Het jaar 1914 zou dus volgens Russell en zijn volgelingen een bijzonder jaar worden, het moest het jaar worden waarin Jezus zijn hemelse troon zou innemen om de strijd met de satan aan te binden.

Om tot deze conclusie te komen gebruikte Russell een berekening die kort samengevat op het volgende neerkomt. In 607 voor Christus werd het koninkrijk Juda omvergeworpen. Het rijk stond tot die tijd onder leiding van rechtstreekse afstammelingen van koning David. Goddeloosheid was volgens Russell de reden van de definitieve ineenstorting van dit Davidische rijk. Bij het jaartal 606 v. Chr. telde Russell 'zeven tijden' op; volgens zijn bijbelinterpretatie staan deze zeven tijden voor 2520 jaar. Aldus werd het jaar 1914 verkregen als jaartal waarop Jezus Christus zijn Messiaanse Koninkrijk zou stichten, 'het einde der tijden der heidenen' waar al in Lucas 21:14 sprake van is. Totdat hij dit rijk aan zijn vader en God zou overdragen moest Jezus het paradijs herstellen en de mensheid tot volmaaktheid brengen.

Het Messiaanse Koninkrijk zou in de tweede helft van 1914, oktober volgens Russell, gestalte krijgen en het begin zijn van de 'weeën van benauwdheid' die de mensheid tot de komst van het Koninkrijk Gods zouden blijven teisteren.

De apostel Johannes zag deze gebeurtenissen, volgens Russell, in visioenen en legde ze vast. Johannes zag hoe Jezus – alleen hij was zuiver genoeg om er als eerste kennis van te nemen – een boekrol met zeven zegels opende. Hierin waren de voorspellingen vastgelegd (zie ook Openbaringen 6:1 en verder).

De eerste visioenen van Johannes hadden betrekking op de ruiters van de Apokalyps. Het eerste paard was een wit paard, de ruiter was Jezus zelf. Hij werd als koning op aarde geïnstalleerd en zou een oorlog gaan voeren die rein en rechtvaardig was (Openbaringen 6:2). Het tweede paard was vurig gekleurd, de ruiter had een groot zwaard. Volgens Russell en de huidige Jehovah's Getuigen was dit het teken dat de komende oorlog, die de mensheid zou gaan voeren, bloeddorstiger en vernietigender zou worden dan ooit (Openbaringen 6:4). Het derde paard had een ruiter met een weegschaal in zijn hand en was zwart van kleur. De ruiter zou hongersnood over de aarde brengen (Openbaringen 6:5b). Bij de verbreking van het vierde zegel zag Johannes het volgende: 'En ik zag en zie!: een vaal paard; en die erop zat droeg de naam Dood. En Hades volgde dicht achter hem' (Openbaringen 6:8). De ruiter was de dood en hij zou de doden binnenhalen die veroorzaakt waren door de tweede en derde ruiter. Ook zou hij zijn eigen doden binnenhalen als gevolg van dodelijke plagen en aardbevingen.

Tot in onze dagen, aldus de mening van de Jehovah's Getuigen, rijden de ruiters nog steeds.

Volgens Russell zou Jehovah – andere christenen spreken over God – 42 maanden na het aanbreken van de Dag der Gramschap (Openbaring 11:2) de christenheid op haar zuiverheid beoordelen. 'Met afschuw bekeek hij de geestelijken die steun én hun zegen hadden gegeven aan de strijdende partijen en aan het zinloze bloedvergieten. Ze hadden een bloedschuld op hun hals gehaald' (zie ook Openbaringen 18:21,24). De katholieken en protestanten, aan beide zijden, hadden elkaar aangemoedigd elkaar af te slachten (zie ook 1 Petrus 4:17).[6]

De door Charles Russell gebruikte tekst is vaak bijna cryptisch maar desondanks is duidelijk dat hij reeds in 1889 met verbazingwekkende precisie sprak over 1914 als een jaar waarin de mensheid met een vernietiging te maken zou krijgen waarvan de omvang ongekend zou zijn. Ook wat betreft de ruiters op het tweede, derde en vierde paard zou de geschiedenis hem gelijk moeten geven.

De Eerste Wereldoorlog was een negentiende-eeuwse oorlog die gevoerd werd met de middelen van de twintigste eeuw. Het strijdgas, de tank, het gevechtsvliegtuig en de mitrailleur waren moderne wapens die zorgden voor een enorm aantal slachtoffers. De oorlog was bloediger dan welke andere eerder gevoerde oorlog ook, het zou de mensheid verbijsteren en de aarde op zijn grondvesten doen beven. En inderdaad kende een groot deel van de wereld hongersnood. Dit werd deels veroorzaakt doordat de akkers door de strijd onbruikbaar waren geworden of doordat de akkerbouwers onder de wapenen waren geroepen, en deels doordat veel noodzakelijke grondstoffen door de oorlogsindustrie werden gebruikt. De ruiter op het vierde paard hoefde dus niet al te veel moeite te doen om zijn prooien te vinden. Zelfs het visioen van de dodelijke plagen kwam uit. In 1918 brak de uit de Verenigde Staten afkomstige Spaanse griep uit die in korte tijd 20 miljoen slachtoffers maakte.

Net zoals Charles Russell voorspelde Helena Blavatsky, stichtster van de moderne theosofische beweging, in haar in 1888 gepubliceerde *Karmische Visioenen* accuraat hoe en wanneer de Eerste Wereldoorlog zou uitbreken.[7]

HOOFDSTUK 4

Paus Pius X

Ook vanuit de katholieke Kerk waren geluiden te horen die waarschuwden voor het naderende onheil. Paus Pius de Tiende was ervan overtuigd dat God verschrikkelijk beledigd was door de manier waarop veel mensen in Europa verkozen te leven en de uitgevaardigde wetten die de Kerk beperkten in haar bewegingsvrijheid.

In 1876 vond in Pellevoisin (Centraal-Frankrijk) een Mariaverschijning plaats. De Heilige Maagd sprak tot het jonge meisje Estelle Faguette: 'Ik kan mijn Zoon niet langer weerhouden.' In Frankrijk waren wetten van kracht geworden die de invloed en de macht van de katholieke Kerk enorm beperkten. Dit zou de toorn van Jezus opgewekt hebben. 'En Frankrijk,' sprak Maria verder, 'wat heb ik niet allemaal gedaan voor haar? Hoeveel waarschuwingen heb ik niet gegeven, maar toch weigert ze te luisteren, Frankrijk zal moeten lijden.' Paus Pius X, gekroond in 1903, geloofde heilig in het uitkomen van deze voorspelling. De wat hij noemde vervolging van zijn Kerk in Frankrijk, Spanje en Portugal, de ontkerkelijking die overal in West-Europa optrad en de 'wereldse' manier van leven waar steeds meer mensen voor kozen, overtuigden hem ervan dat 'God verschrikkelijk beledigd was' en op het punt stond bestraffend op te treden.

Vroegtijdig vertelde hij zijn staatssecretaris dat, volgens hem, 1914 het jaar zou zijn waarop God de mensheid zijn straf zou opleggen. In mei 1914 vertelde hij een Zuid-Amerikaan, die op het punt stond naar zijn land terug te reizen: 'U mag zich gelukkig prijzen dat u niet hier zult zijn als hier, binnen korte tijd, de oorlog zal uitbreken.'

Toen de kerkvader hoorde over de moordaanslag op aartshertog Franz-Ferdinand wist hij zeker dat de oorlog niet meer op zich zou laten wachten. 'Mijn arme kinderen,' sprak hij, 'dat is de laatste teistering die mijn Heer me zal zenden. Graag zou ik mijn leven offeren om deze verschrikkelijke gesel af te weren.' Na wat artsen een lichte ziekte noemden overleed Pius X op 10 augustus 1914. De mensen die dicht bij hem stonden vertelden met stelligheid dat hij overleed aan een gebroken hart. 'Frankrijk zal moeten lijden,' en inderdaad werden op Franse bodem de meeste veldslagen uitgevochten. Paus Pius de Tiende werd op 29 mei 1954 heilig verklaard.[8]

HOOFDSTUK 5

Churchill en de oorlog
die niet verloren kon gaan

In oktober 1912 liepen de Britse premier Asquith en zijn gast Winston Churchill terug van een partijtje golf. Asquith vroeg aan Churchill of hij belangstelling had voor de functie van First Lord of the Admiralty. Churchill bedacht zich geen moment en stemde toe.

Terug op zijn kamer piekerde Churchill over de volgens hem onvermijdelijke militaire confrontatie met Duitsland. In gedachten verzonken opende hij een grote bijbel die zich op het nachtkastje bevond. De door hem opengeslagen bijbeltekst was Deuteronomium 9:1-5: '1. Hoor, Israël! Gij zult heden over den Jordaan trekken om het gebied in bezit te gaan nemen van volken, die groter en machtiger zijn dan gij, grote steden, hemelhoog versterkt. 2. een groot en rijzig volk, Enakieten, die gij wel kent en waarvan gij hebt horen zeggen: wie kan voor de Enakieten standhouden? 3. Weet dan heden, dat de Here, uw God, zelf voor u uit gaat als een verterend vuur; Hij zal hen verdelgen en voor uw ogen onderwerpen; zo zult gij in korten tijd hun gebied in bezit nemen en hen vernietigen, zoals de Here tot u gesproken heeft. 4. Zeg niet bij uzelf, wanneer de Here, uw God, hen voor u uit gejaagd heeft: wegens mijn gerechtigheid heeft de Here mij dit land in bezit doen nemen; want wegens hun goddeloosheid drijft de Here deze volken voor u weg. 5. Niet wegens uw gerechtigheid noch wegens de oprechtheid van uw hart gaat gij hun land in bezit nemen, maar wegens hun goddeloosheid drijft de Here, uw God, deze volken voor u weg en om het woord gestand te doen, dat de Here uw vaderen, Abraham, Isaäk en Jakob, gezworen heeft.'

Volgens Churchill kon het bijna geen toeval zijn dat hij uitgerekend deze pagina opengeslagen had. De gebeurtenis was het volgens hem dan ook waard om opgenomen te worden in zijn persoonlijke beschrijving van de Eerste Wereldoorlog, het boek *The World Crisis*. Al voordat de oorlog was uitgebroken wist Churchill, volgens eigen zeggen, dat Duitsland de oorlog zou verliezen. Maar vreemd genoeg sprak hij in zijn boek met geen woord over de verborgen waarschuwing, de oproep tot bescheidenheid in de laatste twee verzen: de overwinning werd niet veroorzaakt door de eigen rechtschapenheid maar door de goddeloosheid van de vijand.[9]

First Lord of the Admiralty Winston S. Churchill

HOOFDSTUK 6

De Duitse keizer Wilhelm II
en het occulte

Het was duidelijk dat in het Europa van eind negentiende, begin twintigste eeuw de spanning opliep en dat op den duur bijna niet aan een oorlog te ontkomen was. Zelfs de natuur leek de oorlog aan te kondigen. Rampen en spectaculaire natuurverschijnselen werden van oudsher gezien als verkondigers van nog groter onheil en oorlogen. Ook het verschijnen van kometen werd in brede kring gezien als de voorbode van oorlog. Zoals bekend had bijvoorbeeld in 1811 een komeet de hemel wekenlang verlicht, en een jaar later begon Napoleon aan zijn veldtocht tegen Rusland.

Aan het begin van de twintigste eeuw waren astronomen voor het eerst, tot op de dag nauwkeurig, in staat om de komst van vallende sterren te voorspellen. In 1910 werd hiervan het bewijs geleverd en het voorspelde hemellichaam was lange tijd goed zichtbaar aan het firmament. Goedgelovigen slaakten een zucht van verlichting toen het jaar 1911 voorbij was, maar de gedachte dat op korte termijn een oorlog zou uitbreken bleef. Vrijwel niemand wist toen hoe dicht de wereld, door de Marokko-crisis, bij een oorlog was geweest. In het volgende jaar, 1912, waren in Duitsland opvallend veel kraaien. Kraaien werden gezien als 'de vogels van het slagveld', de aankondigers van oorlog, en toen de dieren ook nog eens meer herrie dan normaal leken te maken kon het volgens veel mensen niet anders zijn dan dat de oorlog op het punt stond om uit te breken. Maar net zoals 1911 ging 1912 in Europa voorbij zonder krijgsgeweld. Het bleef echter als het ware in de lucht hangen en ook in 1913 was de toenemende druk voelbaar.[10]

Kraaien, vallende sterren en andere natuurverschijnselen waren dus aanleiding voor de bijgelovigen om in een naderende oorlog te geloven. Vreemd genoeg waren er tegelijkertijd maar weinig nuchtere mensen in staat om de internationale politiek op de juiste waarde te schatten en de gevolgen ervan te overzien. In 1894 werd echter al de kiem van de Eerste Wereldoorlog gelegd toen Frankrijk en Rusland een geheime militaire overeenkomst sloten. Frankrijk hoopte met indirecte hulp van Rusland het door Duitsland tijdens de Frans-Pruisische oorlog ingelijfde Elzas-Lotharingen weer terug in de Franse moederschoot te krijgen. Rusland op zijn beurt hoopte op een vrije doortocht via de Dardanellen en de Bosporus, gebied van Turkije, naar de Middellandse Zee. Oostenrijk-Hongarije, een bondgenoot van Duitsland, zou dit niet zomaar laten gebeuren en de eigen belangen op de Balkan verdedigen. De geheime militaire overeenkomst tussen Rusland en Frankrijk had als uiteindelijk doel de vernietiging van Duitsland; voor Frankrijk en Rusland konden in de toekomst de kaarten dus wel eens heel anders komen te liggen.

Groot-Brittannië zag met lede ogen toe hoe de 'Balance of Power' door Duitsland verstoord dreigde te raken. De economische opbloei van Duitsland en met name de groei van de Duitse oorlogsvloot waren de Britten een doorn in het oog, met als gevolg dat dit land aansluiting zocht bij Frankrijk. Franse en Russische generale staven bereidden een mogelijke oorlog met Duitsland minutieus voor. Frankrijk leende Rusland enorme sommen geld om de Russische spoorwegen – van strategisch belang in verband met de mobilisatie – te moderniseren. Een deel van dit geld werd naar Frankrijk teruggesluisd om de Franse pers ermee om te kopen; de pers liet haar anti-Russische stellingname varen en koos partij tegen Duitsland.

Ook Groot-Brittannië was inmiddels begonnen met geheime militaire besprekingen. Samen met Frankrijk werd begin 1914 zelfs een militaire stafoefening gehouden. Britse en Franse militairen simuleerden tot in detail de landing van een Brits expeditieleger in Frankrijk: de landingsplaatsen, het vervoersschema en zelfs de verversingen die de soldaten zouden ontvangen werden bestudeerd. Duitsland maakte zich in die dagen dan ook terecht behoorlijk zorgen over zijn positie. Het was omringd door vijanden en had alleen nog Oostenrijk-Hongarije als bondgenoot. Op papier stond ook Italië nog aan de zijde van beide landen, maar Italië werd gezien als uitermate onbetrouwbaar. Later zou het land, na zich bij het uitbreken van de oorlog neutraal te hebben verklaard, zich inderdaad uit puur opportunistische redenen aan de kant van de geallieerden scharen.[11]

De Duitse keizer Wilhelm II was geen groot politicus maar ook hij zag de komende wereldbrand aankomen. Wilhelm raakte onder invloed van de Britse immigrant Chamberlain (1855-1927) en dacht op zijn eigen manier een belangrijke voorbereiding voor de naderende oorlog te moeten treffen.

Deze Houston Howard Chamberlain had een buitengewone belangstelling voor de zich in Wenen bevindende Heilige Lans van Longinus. Volgens de mythe was dit de speer die het gekruisigde lichaam van Jezus doorboorde. Chamberlain werd in 1855 in Engeland geboren als zoon van een hoge militair. Hij emigreerde op zijn zevenentwintigste jaar naar Duitsland om daar een Duitser te midden van de Duitsers te worden. Chamberlain, schoonzoon van Richard Wagner, liet zich als schrijver inspireren door het occulte en het demonische. Hij zocht zelfs bewust de hulp van demonen. Zijn voornaamste werk *Die Grundlage des Neunzehnten Jahrhunderts* verscheen in 1897 en zou Duitsland op zijn kop zetten. Het beschreef onder andere de invloed die de Heilige Lans van Longinus op de Europese geschiedenis had gehad. In trance had Chamberlain veel van de grote historische figuren gezien die in het bezit waren geweest van de Lans. Ook zijn geschriften over het ontstaan van een 'hoger ras', in de welig tierende traditie van Richard Wagner en Friedrich Nietzsche, vond gretig aftrek. Chamberlain was een overtuigd antisemiet en gefascineerd door de Heilige Graal- en Lans-mysteriën.

Aan het Duitse hof werd het boek van Chamberlain welwillend ontvangen. De Duitse keizer Wilhelm de Tweede, die samen met zijn jeugdvriend de Prins von Eulenberg op jonge leeftijd experimenteerde met spiritisme[12], had het boek gelezen. De chef van de generale staf der keizerlijke troepen (keizer Wilhelm was opperbevelhebber), Helmuth Graf von Moltke, las het ook. Wilhelm II adoreerde de schrijver die het Duitse intellect de hemel in prees en de keizer als een groots leider van een nieuw ras, het Herrenvolk, had gepresenteerd. Duitsland was volgens Chamberlain voorbestemd om de wereld te domineren, een gedachte die nauw aansloot op Wilhelms ambitie. Uiteindelijk was de verhouding tussen Chamberlain en Wilhelm II bijna te vergelijken met de verhouding tussen Raspoetin en de Romanovs, de Russische tsarenfamilie (zie hoofdstuk 1.9: Raspoetin).

Generaal Von Moltke, door Rudolf Steiner ingewijd in de occulte wetenschap, was aanmerkelijk minder gecharmeerd van Chamberlain dan keizer Wilhelm II. Hij zag de Engelse schrijver als een gevaar en was bang dat de demonische invloeden van de schrijver zouden kunnen overslaan op de keizer. Het was bekend

Keizer Wilhelm II (l.) en generaal Von Moltke (r.) tijdens een inspectietocht

41

dat Chamberlain zijn werken in trance schreef. Wellicht dat de macht van de Hohenzollern-dynastie erdoor kon instorten en Duitsland een militaire nederlaag zou lijden als de strijd zou losbarsten.

Chamberlain bleef de Duitse keizer intussen bestoken met verslagen van visioenen.Visioenen waarin grote mannen als Constantijn de Grote, Karel Martel, Karel de Grote, Hendrik de Vogelaar, Otto de Grote, Barbarossa en Frederik de Grote vertelden hoe zij de macht van de Lans hadden gebruikt om hun doelen te bereiken.

Het was de Duitse keizer duidelijk: de Lans moest terugkeren naar Duitsland om zijn macht en kracht te kunnen aanwenden tijdens het conflict dat voor de deur stond. Hij begreep dat hij onmogelijk rechtstreeks om de Lans kon vragen die zich in een museum te Wenen bevond en besloot als dekmantel een groots opgezette tentoonstelling te organiseren. In Berlijn zouden oude Germaanse kunst en voorwerpen aan het publiek worden getoond. Persoonlijk verzocht hij zijn vriend keizer Franz-Joseph van Oostenrijk-Hongarije om tijdelijk de 'Reichsinsigniën', een verzameling juwelen, kronen, zwaarden en dergelijke, ten behoeve van de expositie af te staan. Om geen argwaan te wekken werd de Lans niet met name genoemd.Van zijn ambassadeur in Wenen hoorde Wilhelm II dat het in bruikleen krijgen van de veelal oeroude spullen geen enkel probleem zou opleveren.

De ware bedoeling van keizer Wilhelm II lekte echter uit en het was generaal Von Moltke die in het diepste geheim de keizer van de dubbelmonarchie ervan op de hoogte stelde. Franz-Joseph wees het verzoek van Wilhelm bij nader inzien dan ook af, dit tot diepe teleurstelling en stomme verbazing van laatstgenoemde.[13,14,15,16,17]

HOOFDSTUK 7

Moord op Franz-Ferdinand

De troonopvolger van de dubbelmonarchie Oostenrijk-Hongarije, aartshertog Franz-Ferdinand, bracht samen met zijn vrouw Sophie von Hohenberg eind juni 1914 een bezoek aan Bosnië. Hij zou er enkele legeroefeningen bijwonen en wat officiële bezoekjes afleggen.

In de nacht van 27 op 28 juni 1914 had bisschop Joseph Lanyi, een persoonlijke vriend van aartshertog Franz-Ferdinand, een voorspellende droom. Tijdens zijn slaap zag hij op zijn bureau een envelop met rouwrand liggen. De brief was voorzien van het familiewapen van Franz-Ferdinand. Even later zag de bisschop hoe Franz-Ferdinand en zijn vrouw tijdens een autorit werden vermoord. In de brief vroeg de aartshertog aan de bisschop om te bidden voor zijn zielenheil. Met enige zekerheid kunnen we aannemen dat bisschop Lanyi de volgende dag tevergeefs geprobeerd heeft zijn vriend voor het naderende onheil te waarschuwen…[18,19,20]

Op 28 juni stond een bezoek aan de Bosnische hoofdstad Sarajevo op het programma van de aartshertog en zijn gade. Bosnië was in 1878 door Oostenrijk-Hongarije geannexeerd en er leefden sterke Servisch nationalistische gevoelens. Nadat de aartshertog per trein op het station van Sarajevo was aangekomen stapte hij over in een open auto. Deze auto was voorzien van een kentekenplaat met als opschrift A111-118. Met wat goede wil is

De Oostenrijkse troonopvolger Franz-Ferdinand met vrouw en kinderen

de A te zien als afkorting van armistice (wapenstilstand in het Engels en het Frans), uit de cijfers is de wapenstilstandsdatum van de Eerste Wereldoorlog te lezen: 11 november '18.[21] De straten onderweg naar het stadhuis zagen zwart van de mensen. Onder hen waren enkele leden van 'De Bende van de Zwarte Hand', een nationalistische, occulte beweging. Een van hen, Cabrinovic, gooide een bom in de richting van Franz-Ferdinand. De Oostenrijkse troonopvolger weerde de bom af die vervolgens in de buurt van een volgauto ontplofte. Een adjudant van Franz-Ferdinand werd door de bomscherven geraakt en verscheidene omstanders raakten gewond. De aartshertog was ziedend. Eenmaal aangekomen bij het stadhuis wilde de burgemeester een welkomstspeech houden, maar Franz-Ferdinand onderbrak hem: 'Wat is het nut van je mooie woorden? Ik kom hier om Sarajevo te bezoeken en er worden bommen naar me gegooid. Het is schandelijk.'

Het bezoek duurde door de verontwaardiging van Franz-Ferdinand veel korter dan aanvankelijk was voorgenomen en algauw koos de stoet auto's weer de terugweg naar het station. In de consternatie werd afgeweken van de geplande route. Per toeval reden de wagens langs de Servische nationalist Gavrilo Princip. Deze had het idee om de Oostenrijkse aartshertog te vermoorden na de mislukte bomaanslag al min of meer opgegeven. Hij rook echter zijn kans en wierp een bom in de richting van de auto, maar het explosief detoneerde niet. Snel greep hij zijn pistool en schoot de aartshertog in de nek. Sophie von Hohenberg probeerde het lichaam van haar man te beschermen door zich eroverheen te leggen, en de volgende twee kogels doordrongen beide lichamen. De laatste woorden van Franz-Ferdinand waren: 'Sophie, blijf in leven voor onze kinderen.' Het mocht niet baten, beiden stierven korte tijd later.[22]

Het nieuws van de politieke moord bereikte bisschop Lanyi nog dezelfde dag.[18, 19, 20] Niet alleen de bisschop voorzag de dood van Franz-Ferdinand, ook de aartshertog zelf was kennelijk van zijn naderende dood op de hoogte.

De vrouw van de latere Oostenrijkse keizer Karl, keizerin Zita, herinnerde zich een gesprek dat ze vlak voor zijn dood met Franz-Ferdinand had en sprak het verhaal op hoge leeftijd in op een geluidsband: 'De aartshertog Franz-Ferdinand nodigde ons vaak uit in zijn paleis. Het was er altijd heel gezellig, met hem en met de hertogin Von Hohenberg. Vaak waren ook de kinderen erbij. (...) De relatie tussen de keizer, keizer Karl, en aartshertog Franz-Ferdinand was buitengewoon hartelijk, net zoals dat was met de hertogin Von Hohenberg. Eenmaal echter werd de gezellige stemming erg gedrukt doordat, nadat hij ons in zijn paleis had uitgenodigd en de hertogin Von Hohenberg de kinderen naar boven bracht om ze te slapen te leggen, hij tegen keizer Karl en mij zei: "Ik moet jullie wat vertellen, binnenkort zal ik vermoord worden." Wij konden dat niet geloven, vanzelfsprekend, en zeiden: "Maar oom, dat is toch niet mogelijk" en "Wie zou er zo'n misdaad plegen?" Toen zei hij: "Spreek mij niet tegen, ik weet het heel zeker, binnen enkele maanden word ik vermoord." We wilden nog langer met hem spreken en het hem uit zijn hoofd praten maar de hertogin Von Hohenberg kwam terug en toen zei hij ons: "Nu praten we er niet meer over want ik wil niet dat Sophie er verdrietig van wordt."[23]

De auto van Franz-Ferdinand, met het wonderlijke kenteken, leek na diens dood wel een geheel eigen leven te gaan leiden. Kort na de moord kwam hij in het bezit van generaal Potoirek van het Oostenrijkse leger. De man leed een dramatische nederlaag tegen de Serven, werd uit zijn commando ontheven en eindigde als krankzinnige.
Nadat de volgende eigenaar de auto slechts enkele dagen in zijn bezit had, reed hij twee boeren aan die ten gevolge van het ongeluk overleden. De chauffeur zelf brak zijn nek.
In 1918 ging de ongeluksauto weer in andere handen over. Na vier andere ongelukken – tijdens een ervan verloor de bezitter een arm – werd de auto verkocht aan een arts. De dokter kwam ondersteboven in een sloot terecht, raakte bekneld en stierf.

46

De volgende eigenaar was een juwelier die ongeveer een jaar plezier had van zijn vervoermiddel, totdat hij zelfmoord pleegde... Enige tijd na de suïcide werd een autocoureur tijdens een race uit de wagen geslingerd; de man overleefde het ongeval niet.

Ook een boer, die na zijn aankoop de auto in een stal parkeerde, had weinig plezier van zijn aanwinst. Hij vroeg aan een passerende automobilist om zijn wagen uit de stal te slepen. Doordat het contact nog aan stond startte de auto. Er werd een paard geraakt, er werd een hooiwagen vernield en vervolgens sloeg het voertuig over de kop.

De laatste particuliere eigenaar was een Oostenrijkse garagehouder, Tibor Hirschfeld. Deze probeerde, met zes vrienden als passagiers, een andere auto in te halen. Hirschfeld en vier van zijn vrienden overleefden de crash niet.

Uiteindelijk kwam de auto tot rust in een museum te Wenen, waar hij nog steeds te bezichtigen is.[18]

HOOFDSTUK 8

Spanning op de Balkan

De moordaanslag in Sarajevo bleek later het startschot te zijn van de Eerste Wereldoorlog. Oostenrijk-Hongarije dacht eindelijk de kans schoon te zien om af te kunnen rekenen met Servië dat al jaren een doorn in het oog van de dubbelmonarchie was. Doordat het Servisch nationalisme in Oostenrijk op grote schaal leefde, was er onrust onder aanzienlijke delen van de bevolking. Het landsbestuur stelde Servië dan ook een ultimatum waaraan met opzet bijna niet kon worden voldaan. Het diende binnen 48 uur te worden beantwoord. Servië kwam binnen deze korte termijn echter onverwacht tegemoet aan de meeste van de eisen en stelde voor om de zaken waar beide landen het niet over eens waren te laten behandelen door het Permanente Hof van Arbitrage te 's Gravenhage. Als reactie op dit Servische antwoord verklaarde Oostenrijk op 28 juli 1914 de oorlog aan Servië. Twee dagen later begon Rusland aan de mobilisatie van zijn troepen om, indien nodig, de Russische belangen op de Balkan te verdedigen.

Doordat Rusland mobiliseerde werd Duitsland, een bondgenoot van Oostenrijk-Hongarije, gedwongen ook te mobiliseren. Rusland had zich verbonden met Frankrijk. Een Duitse oorlog met Rusland zou onvermijdelijk ook oorlog met Frankrijk betekenen. Zo'n oorlog op twee fronten was de nachtmerrie van iedere Duitse legeraanvoerder en zou bijna niet te winnen zijn.

De oplossing van dit probleem die het Duitse militaire genie Von Schlieffen bedacht had, was gebruik te maken van het verschil in tijd dat Rusland en Frankrijk nodig zouden hebben om hun legermacht volledig te kunnen mobiliseren. Volgens de Duitse inlichtingendienst zou het Franse leger twee weken nodig hebben om te mobiliseren, Rusland zou zijn strijdmacht pas na zes tot acht weken op volledige oorlogssterkte hebben. Het was dus zaak het Franse leger zo snel mogelijk op de knieën te dwingen om vervolgens met alle kracht Rusland te verslaan.

Zou de Russische mobilisatie voortduren zonder dat Duitsland dezelfde stap ondernam, dan werkte de tijd in het nadeel van Duitsland. Bovendien was een Duitse mobilisatie bijna niet terug te draaien. Volgens een minutieus draaiboek moesten de miljoenenlegers, de wapens, het voedsel en de hulpgoederen op hun plaats worden gebracht. Jarenlang hadden militaire deskundigen zich over dit enorme logistieke plan gebogen. Op het moment dat het zou worden afgeblazen liep het hele raderwerk vast en zou Duitsland lange tijd bijzonder kwetsbaar zijn. Kwetsbaarheid was uit den boze in het oververhitte Europa. Mobilisatie van de Duitse troepen betekende dan ook bijna zeker oorlog.
Met kracht vroeg Duitsland aan Rusland over te gaan tot demobilisatie. Hierdoor zou wat druk van de ketel genomen kunnen worden. De Duitse keizer Wilhelm II stuurde telegram na telegram naar zijn neef, de Russische tsaar Nicolaas, beriep zich op hun persoonlijke vriendschap en drong met klem aan op het ongedaan maken van de mobilisatie. Tevergeefs.
Voor de Franse president Poincaré was de situatie een buitenkans. Tijdens de Frans-Pruisische oorlog van 1870 verloor Frankrijk Elzas-Lotharingen aan Duitsland. Poincaré was afkomstig uit deze streek en was vervuld van de in Frankrijk sterk levende revanchegedachte. Hij zou zijn geboortestreek weer onder Franse vlag proberen te brengen.
De Franse president begreep dat Duitsland onder grote tijdsdruk stond en drong er bij de tsaar op aan de mobilisatie vooral niet af

te breken. Andermaal beloofde hij steun aan Rusland als Duitsland zijn Oostenrijkse bondgenoot te hulp zou schieten. Het mes kon zo aan beide zijden snijden. De publieke opinie zou Duitsland als veroorzaker van de oorlog zien en bovendien was president Poincaré van mening dat de gezamenlijke legers van Rusland en Frankrijk in staat waren Duitsland binnen korte tijd te verslaan. Wat betreft het laatste zou de geschiedenis anders leren.

Tegen de verwachting van Duitsland in brak Rusland de mobilisatie niet af, waarop Duitsland het land op 1 augustus 1914 de oorlog verklaarde. De lont was in het kruitvat gestoken…

De Franse paragnoste Madame de Thèbes gaf ieder jaar een almanak, een jaarboekje uit. Ruim voordat de oorlog werkelijkheid was voorzag ze de voorname rol die Rusland bij het uitbreken ervan zou spelen. In haar almanak van 1905 kunnen we lezen: 'Ieders aandacht richt zich op Rusland. Het is Rusland dat Europa op het slagveld zal leiden. Frankrijk zal aarzelend het voorbeeld van Rusland volgen. In de handen van Russische officieren zie ik zekere tekenen die erop wijzen dat Rusland spoedig in oorlog zal zijn…' Even duidelijk over het naderende onheil, en dan met name over de moord op Franz-Ferdinand, is ze in de almanak van het jaar 1912: 'Het uur nadert waarop het tot een oorlog tussen Slaven en Germanen zal komen. Hij die in Oostenrijk moest regeren zal dit land niet regeren en een jonge man, die eigenlijk niet tot regeren geroepen was, zal regeren.'[24,25]

Na de dood van Franz-Ferdinand werd aartshertog Karl de Oostenrijkse troonopvolger. En inderdaad, op 21 november 1916 kwam de negenentwintigjarige Karl, na de plotselinge dood van keizer Franz-Joseph en zonder dat hij eigenlijk tot regeren geroepen was, op de Oostenrijkse troon.

De Thèbes (geboren als Anna Victorine Savary) was in de jaren voor de Eerste Wereldoorlog een bekende verschijning in Parijs en had in haar kennissenkring vele beroemdheden.

HOOFDSTUK 9

Raspoetin

O p 28 juli 1914, de dag van de Oostenrijkse oorlogsverklaring aan Servië, lag de Russische boerse gebedsgene-
zer en 'wonderdoener' Grigori Raspoetin in bed. Hij was nog
steeds herstellende van de steekwonden die hem waren toegebracht door een waanzinnige vrouw. Op dezelfde dag, hetzelfde
uur en misschien wel dezelfde minuut dat de Oostenrijkse troonopvolger Franz-Ferdinand in Sarajevo werd neergeschoten, was
Raspoetin neergestoken. Raspoetin verafschuwde wapengeweld
en oorlogen. Hij zou ongetwijfeld de macht en invloed die hij
had op de tsaar en tsarina hebben aangewend om te voorkomen
dat het naderende conflict zich zou verspreiden. Toen de
Russische mobilisatie werd afgeroepen en de eerste gevechten op
de Balkan uitbraken, was Raspoetin te zwak om zich tot tsaar
Nicolaas II te wenden. Hij moest hierdoor lijdzaam toezien hoe
de strijd in Europa escaleerde.[18]
De bijna onbeperkte invloed van Grigori Jefimowitsj Raspoetin
op het Russische hof had hij verworven door zijn charismatische
persoonlijkheid, maar vooral door de gunstige invloed die de
wonderdoener leek te hebben op de aan hemofilie (bloederziek-
te) lijdende tsarewitsj Aleksj, zoon van de zeer religieuze tsaar
Nicolaas II en tsarina Aleksandra. Zelfs per telefoon of telegram (!)
lukte het Raspoetin de gevaarlijke bloedingen en andere kwalen
van Aleksj te stoppen.

Tsaar Nicolaas II en tsarewitsj Aleksj tijdens een mis net achter het front

Door zijn ziekte was de kroonprins het zorgenkindje van zijn ouders. Aangezien het recht op de Russische troon slechts gold voor mannelijke troonopvolgers, en Aleksj de enige zoon was, werd de ziekte als staatsgeheim aangemerkt. Het was vooral de tsarina die haar toevlucht had gezocht in het alternatieve circuit nadat gebleken was dat de reguliere geneeskunst geen kans op genezing bood.

Raspoetin sloot de rij van een hele stoet eigenaardige figuren die door tsarina Aleksandra naar het hof waren gehaald. De spits beet ene docteur Philippe af. De man verkocht onder andere belletjes die vanzelf gingen rinkelen als er een kwaadaardig mens voorbijliep. Ook van de diensten van Papus, een mysterieuze tovenaar, werd door de tsaar en tsarina gebruikgemaakt. De eigenaardige Tibetaanse kruidendokter Sjamzaran Badmajew, eigenaar van een sanatorium, werd regelmatig aan het Russische hof gesignaleerd. Helemaal vreemd was de verschijning in het paleis van de zwakzinnige en kreupele Mitja Koljaba. Hij was een, zoals de Russen zeggen, joerodiwi, een dwaas Gods: De klanken die hij uitstootte werden door de begeleidende monniken uit Optina Poestyn aan de tsarina als profetische uitspraken verklaard.[26]

HOOFDSTUK 10

De situatie loopt uit de hand

D e zomer van 1914 was warm en de toenemende span-
ning was overal voelbaar geweest. De Duitse oorlogsver-
klaring aan Rusland op 1 augustus en de oorlogsverklaring aan
Frankrijk twee dagen later zorgden voor een soort ontlading.
Voor velen kwam de oorlog zelfs als een bevrijding. Overal in
Europa werden soldaten in treinen naar hun mobilisatiebestem-
ming gereden. Duitsers scandeerden leuzen als: 'Jeder Schuß ein
Russ, jeder stoß ein Franzos, haut die Serben das sie sterben.'[27]
Op Franse treinen stonden leuzen als 'à Berlin'. Massahysterie
sloeg overal in Europa toe. In Sint Petersburg was het volk buiten zinnen. In Parijs, op de Champs-Elysées, en in Potsdam, voor
het paleis van de Duitse keizer, lieten duizenden hun instemming
blijken.
Het leek te mooi om waar te zijn: iedereen had de kans om als
held de oorlog mee te maken, een oorlog die nog voor het vallen van de bladeren beëindigd zou zijn. De algemene verwachting was dat iedereen met de kerst weer thuis zou zijn. Een zoon
van de Duitse keizer noemde de oorlog zelfs een 'Frischer und
Fröhlichen Krieg', maar moest zijn mening later behoorlijk bij-
stellen.

HOOFDSTUK 11

Von Moltke

Toen eind juli 1914 de mobilisatie van Duitsland volop op gang was gekomen, viel de chef van de generale staf van het Duitse leger, graaf Helmuth von Moltke, ineens voorover op zijn schrijftafel. Met spoed werd een arts ontboden maar deze kon geen duidelijke ziekte vaststellen. De generaal verkeerde in een staat van diepe trance en leek niet meer op de buitenwereld te reageren.

Zelf had Von Moltke het gevoel dat hij in een toestand van een verregaand verruimd bewustzijn was. Hij was nog steeds generaal in het Duitse leger in 1914, maar tegelijkertijd was hij paus Nicolaas de Eerste (paus van 858 tot 867). Tot zijn verwondering zag hij veel van de hoge officieren uit zijn staf verschijnen in de gedaante van middeleeuwse kardinalen en bisschoppen. Een vreemde symbiose van geest en tijd voltrok zich voor zijn oog. Zijn oom en naamgenoot Helmuth von Moltke, held van de Frans-Pruisische oorlog van 1870, verscheen voor hem als paus Leo de Vierde. Het militaire genie generaal Von Schlieffen zag hij in de persoon van paus Benedict de Tweede.

Nadat Von Moltke wegens teleurstellende militaire resultaten uit zijn hoge ambt was gezet, beschreef hij zijn vreemde trance tot in details. Hij was ervan overtuigd dat hij een inkijk had gehad in de werking van reïncarnatie en het karma dat mensen op zich nemen. Het feit dat hij had gezien hoe hoge militairen meer dan duizend jaar geleden hoge geestelijken waren geweest leek hem minder vreemd dan het op het eerste gezicht scheen. In beide functies is macht een van de duidelijkste kenmerken en beide hebben bovendien een zekere verhevenheid boven het gewone volk in zich.

Gebeurtenissen van vroeger herhaalden zich in vrijwel identieke patronen, de mensheid was afhankelijk van een vastgelegde lotsbestemming, waarbij de vrije wil sterk beïnvloed werd door de manier waarop deze reageerde op het voorziene lot. Hoe sterker de liefde voor God, hoe groter de mogelijkheid het eigen leven te sturen. De naderende oorlog was, volgens Von Moltke, nodig om de mensheid duidelijk te maken dat er geen toekomst lag in de tot dusver gevolgde normen en waarden. De enige mogelijkheid om de strijdende soldaten zoveel mogelijk leed te besparen was het zo snel mogelijk behalen van een klinkende zege.[13,28]

HOOFDSTUK 12

De Duitse opmars

O m de Duitse troepen volledig te ontplooien had het leger ruimte nodig. Achter de versterkte grens met Frankrijk was deze ruimte niet te vinden. België had wel de benodigde ruimte, wegen en goede spoorverbindingen waar de Duitse legers zich voldoende zouden kunnen bewegen. In het verdrag van Londen uit 1839 was de Belgische neutraliteit door alle grote mogendheden gegarandeerd, maar Duitsland stapte op 4 augustus 1914 over deze garantie heen. Rijkskanselier Bettmann-Holweg, als enige in het Duitse kabinet rechtstreeks verantwoording schuldig aan de Duitse keizer, sprak daarbij de historische woorden: 'Not kennt kein Gebot.' De overval op België zou de verontwaardiging van het overgrote deel van de publieke opinie oproepen.

Toch zou het kortzichtig zijn de Duitse inval volledig te veroordelen zonder enige nuance aan te brengen. Duitsland schond weliswaar de Belgische neutraliteit, maar had vanuit militaire visie eigenlijk geen andere keus. De toegang tot Frankrijk via de Frans-Duitse grens was onmogelijk en alleen door aan te vallen kon een oorlog op twee fronten worden voorkomen.

Groot-Brittannië greep de gebeurtenissen in België aan om Duitsland de oorlog te verklaren, een verklaring die tamelijk onverwacht kwam voor de Duitse keizer Wilhelm II. Het slecht

uitgeruste Belgische leger bood heldhaftig weerstand maar kon
het Duitse leger, dat als een zeis door het land trok, niet meer dan
een paar dagen ophouden. Monsterkanonnen hadden de forten
van de vestingsteden Luik en Namen aan barrels geschoten.
Het was de bedoeling van de Duitse legerleiding om zo snel
mogelijk via de Franse noordgrens Frankrijk binnen te vallen.
Duitse legers zouden Parijs in de tang nemen en de Franse troepen voor zich uit in de richting van de Frans-Duitse grens jagen.
Daar stonden enkele legers klaar om de Fransen tot overgave te
dwingen.
Vijf dagen na de Britse oorlogsverklaring aan Duitsland gaf de
Britse minister van oorlog Horatio Kitchener opdracht om
117.000 man van de British Expeditionary Force (BEF) van
Engeland over te brengen naar Frankrijk. Vandaar konden de vier
infanteriedivisies en de vijf cavaleriebrigades, bijna de helft van
het totale aantal Britse militairen, hun Belgische- en Franse
medestanders ondersteunen in de strijd tegen de Duitsers. Twee
divisies werden in reserve gehouden. Het Britse expeditieleger
nam positie in tussen Valenciennes en Maubeuge, aan de Frans-
Belgische grens. Vandaar marcheerde de BEF op 22 augustus
1914 in de richting van het industriegebied rond de stad Bergen
(Mons) in België. Hier botsten de Britten een dag later op Duitse
troepen die bezig waren aan hun opmars door België in de richting van Frankrijk. Aanvankelijk lukte het de Britten stand te
houden en zelfs enkele plaatselijke overwinningen te boeken,
maar door de Duitse getalsmatige overmacht, en doordat de
Fransen die de Britse linker- en rechterflank dekten zich terug-
trokken, lukte dit niet langer.
Langzaam werden de Fransen en Britten door de Duitsers teruggedrongen. Tijdens de terugtocht vonden felle achterhoedege-
vechten plaats. Het verlies aan manschappen en materieel was
enorm en het leek erop dat een algemene nederlaag niet lang op
zich zou laten wachten, mede omdat de reserves uitgeput waren.

Het Engelse volk leefde uiteraard mee met de verrichtingen van hun leger op het Europese vasteland. Door de benarde positie waarin de Britse soldaten zich bevonden nam de spanning aan het thuisfront zo toe, dat de kerken opriepen tot een nationaal gebed. Het leek crop dat dit gebed verhoord werd. Op 26 augustus 1914 vond bij Mons een mirakel plaats dat zonder twijfel de best gedocumenteerde onverklaarbare gebeurtenis van de Eerste Wereldoorlog is.

Voor het eerst werd deze wonderlijke gebeurtenis beschreven in het Londense *The Evening Post* op 29 september 1914. Het artikel, geschreven door de journalist/romanschrijver Arthur Machen, was getiteld 'The Bowmen'. Het vertelt hoe de Duitsers een groep Britse soldaten bleven terugdrijven totdat een soldaat uitriep 'Adsit Anglis Sanctus Georgius', 'Moge Sint-Joris vandaag de Engelsen helpen'. Zijn roep om hulp werd door zijn medestrijders overgenomen waarop ineens, uit het niets, een leger van engelen opdook. De figuren waren groter dan mensen en omgeven door licht. Ze waren in het wit gekleed, blootshoofds en leken boven de grond te zweven. Even later zagen de Britten tot hun verbazing hoe de vijand op de vlucht sloeg en hoe de door de engelen afgeschoten pijlen honderden, ja zelfs duizenden slachtoffers maakten. Later zou de Duitse generale staf zich afvragen wat de doodsoorzaak was van de gesneuvelden, want op geen van de doden was enige verwonding te zien. Door het ingrijpen van de engelen werden de Britten in staat gesteld zich naar het westen terug te trekken, waar ze een verdedigingslinie opwierpen.

In *Light Magazine*, een Londens tijdschrift, van 10 oktober 1914 beschreef Machen onder de titel 'Strange Allies: Strange Story from the Front' hoe de geesten van tijdens andere oorlogen gesneuvelde Britten de soldaten die nu in België en Frankrijk vochten bijstonden. Velen namen, volgens Machen, de soldaten uit het verleden waar en ontvingen hulp van hen.

Later zou Arthur Machen verklaren dat hij de verhalen verzonnen had. Over zijn beweegredenen was hij onduidelijk.

De legende bleef echter bestaan en was zelfs een geheel eigen leven gaan leiden. Brigadegeneraal John Charteris schreef in brieven naar huis hoe soldaten zich door de engelen gesterkt voelden, hij was erdoor geïntrigeerd. Charteris was ten tijde van de verschijning op 26 augustus 1914 stafofficier en vriend van de Britse generaal Douglas Haig. In 1931 verscheen zijn boek *At General Headquarters*, een verzameling brieven die hij tijdens de oorlog naar huis stuurde. Over de engelen kunnen we lezen: 'En dan is er het verhaal van de engelen van Mons, een verhaal dat door de gelederen van het 2de Legerkorps blijft gaan en vertelt hoe de Engel van de Heer op zijn traditionele witte paard, in witte kleding met vlammend zwaard, de oprukkende Duitsers trotseerde en hun vorderingen verhinderde. De zenuwen en verbeelding van de mannen halen vreemde streken uit in deze inspannende tijden. Hoe dan ook: De Engelen van Mons interesseren me. Ik kan er niet achter komen hoe de legende ontstond.'

Net zoals de soldaten leken ook de kranten geen genoeg te kunnen krijgen van wat intussen 'The Angels of Mons' was gaan heten, en varianten op deze mythe. Soldaten stuurden ooggetuigenverslagen ervan naar huis. Dagbladen en tijdschriften publiceerden steeds opnieuw 'nieuws' over De Engelen van Mons. Het verhaal bleef de hele oorlog levend, zowel in de Britse thuislanden als aan het front.

In *The Universe*, een rooms-katholiek blad, van 30 april 1915 werd melding gemaakt van hoe een officier en dertig ondergeschikten in een loopgraaf afgesneden waren geraakt van de hoofdmacht. De officier stelde zijn mannen voor de keuze: of roemloos afwachten en sterven of sterven tijdens een glorieuze aanval op de vijand. De soldaten kozen voor het laatste en met een luid 'Sint-Joris voor Engeland' gingen ze op weg naar hun tegenstanders. Tijdens hun tocht merkten ze dat ze werden begeleid door een grote groep mannen met pijl en boog die zelfs de leiding van de aanval overnamen. De Duitse troepen sloegen op de vlucht; later vroeg een krijgsgevangene aan de officier wie de imposante figuur op het grote witte paard was geweest. Ondanks hevig vuur waren de Duitsers er niet in geslaagd deze ruiter of zijn paard te raken. De Britse officier had zelf geen ruiter waargenomen, maar ook hij had de boogschutters met eigen ogen aanschouwd.

In het maandblad *Church Family Paper* van juli 1915 werd beschreven hoe Miss Marrable, dochter van de toen bekende kanunnik Marrable, van een bevriende officier gehoord had hoe zijn compagnie bij Mons achtervolgd werd door Duitse cavalerie. Om niet in de rug te worden gelopen draaiden de Britten zich om. De Britse soldaten waren ervan overtuigd dat hun laatste uur had geslagen, maar plotseling zagen ze tussen henzelf en de vijand engelen opduiken. De paarden van de Duitsers steigerden en draaiden zich om, waarna de Duitse cavalerie in alle richtingen vluchtte. De vriend van Miss Marrable bezwoer dat dit de redding van zijn ten dode opgeschreven eenheid was geweest. In een andere krant vertelden officieren hoe bij Mons tussen het Britse leger en de aanstormende Duitse cavalerie opeens een vreemde wolk verscheen die de Britten leek te beschermen.

Ook in respectabele kranten zoals *The Evening News* en de *Times*, alsmede in vele andere bladen, waaronder vele occulte en spirituele, verschenen ogenschijnlijk geloofwaardige getuigenissen van bij elkaar honderden militairen die al dan niet bij naam genoemd werden en een en ander persoonlijk hadden gezien.

Nog steeds is het raadsel van 'The Angels of Mons' niet afdoende opgelost en nog steeds buigen theosofen, historici en belangstellenden zich over de honderden verklaringen van ooggetuigen en de vele publicaties.[29, 30, 31, 32, 33, 34]

Net zo hardnekkig als de mythe van de engelen van Mons is het verhaal van 'The Comrade in White', de witte kameraad. In de begindagen van de oorlog zou deze mythische figuur vele gewonde Britse soldaten uit hachelijke situaties gered hebben. Verschillende kerkbladen namen een artikel op waarin de uit Manchester afkomstige priester dr. R.F. Horton vertelde over

wonderbaarlijke reddingen. In een ervan ligt een gewonde soldaat in een kuil tussen de eigen en vijandelijke linies. Hij durft
zelfs zijn hoofd niet op te tillen uit angst geraakt te worden door
een kogel of granaatscherf. Opeens neemt de soldaat een merkwaardige figuur waar die geheel in het wit gekleed is. Het laatste
wat de militair ziet is hoe de gestalte zich naar hem vooroverbuigt
waarna hij zijn bewustzijn verliest. Als hij weer bijkomt is hij in
veiligheid gebracht. De in het wit geklede man is nog steeds bij
hem en heeft een wond in zijn handpalm. De soldaat vraagt hoe
de verwonding ontstaan is waarop de redder antwoordt: 'Het is
een oude wond die kortgeleden weer geopend is.' Volgens
Horton verklaarde de soldaat dat hij ondanks het gevaar en de
verwondingen een vreugde had ondervonden als nooit in zijn
leven.
Overal doken de verhalen van 'The Comrade in White' op. Zoals
in het magazine *Life and Work* van juni 1915, dat een verhaal
publiceerde over een soldaat die in beide benen was geschoten en
wanhopig in een granaattrechter lag af te wachten. Het was avond
geworden toen hij een krachtige voetstap hoorde naderen. Even
later dook een witte gloed op. Toen de soldaat zich realiseerde dat
het de White Comrade moest zijn, hoorde hij hoe Duitse sluip-
schutters tevergeefs probeerden de gestalte te raken. De verschijning tilde het forse lichaam van de soldaat op als was het een kin-
derlichaam. Even later verloor de militair zijn bewustzijn om
wakker te worden in een grot bij een stroom waar de White
Comrade zijn wonden waste en verbond.
De soldaat merkte hoe een gelukzalig gevoel over hem kwam.
Hij zag hoe de witte figuur zijn handen vouwde en in gebed
ging. Toen pas viel het hem op dat zijn redder een, naar het
scheen, verse kogelwond in zijn handpalm had en een soortgelijke verwonding in zijn voet. Toen de dankbare soldaat ernaar
informeerde antwoordde zijn redder: 'Het is een oude wond
maar ik heb er de laatste tijd weer last van.'[29]
Een parallel met Jezus lag voor de hand en 'het feit' dat zelfs de
Messias voor de geallieerde kant had gekozen versterkte bij veel

soldaten het gevoel voor een rechtvaardige zaak te strijden. Ook engelen zouden, volgens geruchten die met grote stelligheid in de loopgraven werden verteld, soldaten uit levensgevaarlijke situaties hebben gered en verpleegd.

Aanvankelijk boekten de Duitse legers in augustus 1914 nog

Engelen zouden soldaten hebben gered. Ets van de Purmerendse kunstenares Theodora le Fèvre van Beek

grote successen in Frankrijk maar de lange dagmarsen, de slopende gevechten, de belabberde logistiek en de slechte verbindingen van de commandanten ter plaatse met het hoofdkwartier begonnen hun tol te eisen. Toen generaal Von Kluck besloot voortijdig af te buigen, in plaats van Parijs ten westen te passeren, keerde het tij voor de Fransen. De vliegenier van een Frans waarnemingsvliegtuigje ontdekte het afzwenken van het Duitse leger en bracht rapport uit. De Franse opperbevelhebber Joffre ontging het belang niet. Hij begreep dat hierdoor de Duitse rechterflank bloot was komen te liggen en rook zijn kans. Met alle mogelijke middelen werd de tegenaanval ingezet, zelfs met in Parijs door het leger gevorderde taxi's werden soldaten naar het front gebracht. Bij de Marne werd door beide zijden twee miljoen man samengebracht die elkaar met vuur en zwaard zouden gaan bestrijden.

HOOFDSTUK 13

De strijd loopt vast

De Duitsers lieten zich op 9 september 1914 terugvallen tot achter de rivier de Marne waar ze stellingen innamen. Nadat bij deze rivier door de Britten en de Fransen tegen de Duitsers hevig slag was geleverd, groeven de laatsten zich definitief in. Het Duitse aanvalsplan was mislukt, de Duitse opmars was tot staan gebracht. Dit was het begin van de loopgravenoorlog, een nieuw fenomeen.

Tijdens de slag aan de Marne waren de rooms-katholieke Ieren John en Denis Lucy wapenbroeders in het Tweede Bataljon van de Royal Irish Rifles. John overleefde de gevechten. Zijn jongere broer Denis sneuvelde als lance-corporal, soldaat 1ste klasse, op 15 september 1914. John was hierdoor diep getroffen, maar een droom waarin Denis een hand op Johns schouder legde en hem vertelde dat alles goed met hem was, bracht troost en verlichting.[35] Het is onbekend waar het graf van Denis zich bevindt. Daarom werd zijn naam bijgeschreven op Memorial van La Ferte-sous-Jouarre. Op het monument staan de namen van alleen al de bijna vierduizend Britten die in augustus, september en de eerste helft van oktober 1914 vielen maar van wie het graf niet te achterhalen is.

Ook de Duitse beeldend kunstenares Käthe Kollwitz (1867-1945) vond steun in het contact dat ze met een dierbare, haar zoon, na diens dood had. Toen de achttienjarige Peter Kollwitz in de buurt van Esen (België) op 23 oktober 1914 sneuvelde, was de vrouw in diepe rouw en aanvankelijk volkomen ontreddered. Ze voelde, tot haar geluk, dagelijks de aanwezigheid van haar zoon, zag hem in haar dromen en was zelfs in staat met hem te communiceren. In haar later gepubliceerde dagboek schreef ze op 31 december 1914: 'Mijn Peter, ik probeer mijn vertrouwen te behouden... Wat dit betekent? Zo van mijn land te houden, op mijn manier, zoals jij van het land hield op jouw manier. En deze liefde ook werkzaam te laten zijn. Naar de jonge mensen kijken en vertrouwen in hen hebben. Bovendien zal ik mijn werk doen, hetzelfde werk, mijn kind, dat jou werd ontnomen. Ik wil God eren in mijn werk, dat ook, en dit betekent dat ik eerlijk, betrouwbaar en oprecht wil zijn... Wanneer ik zo probeer te zijn, lieve Peter, vraag ik je bij me te zijn, me te helpen, je aan mij te laten zien. Ik weet dat je er bent, maar ik zie je alleen maar vaag, alsof je gesluierd bent door mist. Blijf bij me...'

Kort nadat Käthe Kollwitz bericht van Peters dood had ontvangen begon ze aan de voorbereiding van een beeldengroep: Het Treurend Ouderpaar. Gedurende achttien jaar werkte ze aan het perfectioneren ervan. Peter bleef zijn moeder trouw bezoeken in haar dromen en ook tijdens haar werk hielp hij haar. Eind 1916 schreef ze erover in haar dagboek: 'Ik kan Peters aanwezigheid voelen. Hij troost me, hij helpt me met mijn werk. (...) Ik heb je gevoeld, mijn jongen. Vaak, oh zo vaak.'
Uiteindelijk kwam de beeldengroep Het Treurend Ouderpaar terecht op het Duitse militair kerkhof van Vladslo, in de buurt van Diksmuide (België). De twee beelden zijn van een werkelijk overrompelende schoonheid. Zonder al te veel storende details zijn twee treurende ouders weergegeven. Ze zitten op hun knieën en hebben de armen om zich heen geslagen. De man heeft zijn schouders opgetrokken alsof hij bang is zich volledig te laten gaan, de moeder is voorovergebogen en een instorting nabij. Beiden geven uitdrukking aan het leed dat ouders treft als

hun kind sterft; dit leed kent geen landsgrenzen maar is univer-
seel.

Het Treurend Ouderpaar (foto Erik de Jonge)

Op een grafsteen, vlak voor de beelden, staat te lezen: Peter
Kollwitz, Musketier. Het geestelijk erfgoed van zijn moeder
waakt nog steeds over hem. De Maastrichtse dichter Hans van der
Linden vatte het aldus samen:

> In droefenis versteend
> staren ouders naar de stenen in het gras
> en naar wat daaronder in onvatbaarheid
> begraven is.

Al snel was gebleken dat de combinatie van mitrailleur en prikkeldraad welhaast onoverwinnelijk was. Een paar man bedienend
personeel achter een mitrailleur waarvoor rollen prikkeldraad
lagen bleken in staat honderden aanvallers tegen te houden. Eind
1914 was het landschap vanaf Nieuwpoort tot aan Belfort, bij de

Zwitserse grens, doorsneden van een lint van twee tegenover elkaar liggende loopgraafstellingen. Een situatie die bijna niemand had voorzien.

Het zou lang duren voordat de geallieerde legerleidingen zich hadden aangepast aan de nieuwe manier van oorlog voeren. De Britse generaal Haig maakte zich voor eeuwig onsterfelijk door zijn uitspraak: 'De mitrailleur is een zwaar overschat wapen.' Zijn opponent, de Duitse generaal Von Hindenburg, was aanmerkelijk dichter bij de waarheid toen hij opmerkte: 'De Engelsen zijn net leeuwen maar ze worden aangevoerd door ezels!' Nog lange tijd zouden de Fransen en vooral de Britten keurig in formatie de Duitse, door rollen prikkeldraad beschermde, mitrailleursnesten aanvallen. Officieren voorop. Pas toen bijna een complete generatie officieren was gesneuveld werd de Britse en Franse aanvalstactiek veranderd, wat nog niet wil zeggen dat de Franse en Britse mensenlevens in de ogen van hun aanvoerders veel meer waard werden.

Norman Leslie was afkomstig uit Castle Leslie, een landhuis vlak bij het dorpje Glaslough in het graafschap Monaghan te Ierland. Van dit idyllisch aan een meertje gelegen kasteeltje wordt gezegd dat er zich maar liefst achttien geesten manifesteren.

Rond 1900 werd Norman Leslie erfgenaam van het landgoed. De man diende als officier bij de Royal Irish Fusiliers. In 1906 verliet hij de militaire dienst, maar in de zomer van 1914 nam hij opnieuw dienst. Als kapitein van de Rifle Brigade ging hij naar Frankrijk om daar de Duitsers te bevechten. Op zondag 18 oktober 1914 zagen diverse mensen hoe Norman Leslie rondliep in de tuinen rondom zijn landhuis; er werd aangenomen dat Leslie op verlof was. De jachtopziener zag Leslie om het meertje lopen en had zelfs een kort gesprek met hem. Hij vertelde dat hij blij was dat Norman weer thuis was en liet diens kamer in orde maken. Bovendien stelde hij de moeder van Leslie op de hoogte van de aanwezigheid van haar zoon. Moeder schreef in haar dagboek: 'Norman is thuis!'

Er werd echter niets meer van Norman Leslie vernomen totdat er een week later een brief van het ministerie van oorlog kwam: Leslie was op 18 oktober 1914 gesneuveld. Tijdens een aanval op een Duitse mitrailleurstelling was hij slechts gewapend met een sabel zijn mannen voorgegaan...[36]

Volgens het register van The Commonwealth War Graves Commission, de Britse oorlogsgravendienst, sneuvelde captain Norman Jerome Beauchamp Leslie van het 3de Bataljon van de Rifle Brigade op maandag 19 oktober 1914. Hij werd 28 jaar en was de zoon van sir John Leslie en lady Leslie uit Glaslough, Monaghan. Norman Leslie ligt begraven op het Chapelle-d'Armentieres Old Military Cemetery. La Chapelle-d'Armentieres is een dorpje op zo'n anderhalve kilometer van Armentieres in Frankrijk.

Zoals al eerder gezegd: bijna niemand had de vastgelopen strijd met twee tegenover elkaar liggende loopgravenlinies voorzien; de Pools-joodse zakenman Ivan Bliokh wel. Hij had, als uitvloeisel van zijn hobby, een studie gemaakt van hoe een toekomstige oorlog er mogelijk uit zou komen te zien. Zijn bevindingen publiceerde hij in 1898 onder de naam Jean de Bloch in het zesdelige boekwerk *La Guerre*. Het boek beschreef nauwkeurig de patstelling die op het, voor die tijd, moderne slagveld zou ontstaan en hoe geen enkele van de oorlogvoerende partijen de overwinning nog langer militair kon afdwingen[37]. *La Guerre* had enige invloed maar werd in militaire kringen amper bestudeerd. Als de voorspellingen niet zo nauwkeurig waren geweest zou het al lang in de vergetelheid zijn geraakt. Bliokh was geen ziener, maar een man die op wetenschappelijke wijze oorlogen en de ontwikkelingen ervan bestudeerde.

Vanuit een heel andere hoek benaderde tijdgenoot dr. Osty de oorlog. Deze vermaarde Franse arts en parapsycholoog hield zich decennialang bezig met het bestuderen van paranormale verschijnselen en paranormaal begaafden. Osty raakte ervan overtuigd dat ieder mens in zijn 'diepste wezen' zijn eigen toekomst kent.

De toekomst lag dus, volgens Osty, vast in de mens zelf en zou, als aan bepaalde voorwaarden werd voldaan, als het ware te lezen zijn en dus te voorspellen. Zijn bevindingen legde hij vast in *La connaisance supra-normal*. Het is een lijvig boekwerk dat in 1922 bij Alcan te Parijs verscheen. In dit boek beschrijft Osty hoe de Franse paragnoste De Berly de toekomst aan de Fransman R. de P. voorspelde. Ze deed dit tijdens een serie sessies die ze met De P. had tussen mei 1912 en juni 1914.

De P., die in 1914 op het punt stond om te gaan trouwen, kreeg van haar te horen dat dit voorgenomen huwelijk niet door zou gaan. Pas jaren later zou hij, volgens De Berly, met een jong buitenlands meisje trouwen. En inderdaad, door het uitbreken van de oorlog ging het voorgenomen huwelijk niet door en pas na de oorlog zou R. de P. trouwen met een jonge Italiaanse. Zelfs het uiterlijk van zijn aanstaande vrouw had de paragnoste hem in juni 1914 beschreven: het klopte tot in het kleinste detail.

Voorts zag De Berly hoe haar cliënt vreemde kleding droeg, hoe de kogels hem om de oren vlogen, hoe hij soms te paard zat en hoe hij opdracht gaf tot het graven van tunnels, lange tunnels in vervuilde grond, een vrij nauwkeurige beschrijving van hoe een loopgravenoorlog eruitziet. Ondanks dat zijn leven gevaar liep hoefde hij hiervoor, volgens De Berly, niet te vrezen. De P. werd tijdens de mobilisatie opgeroepen om als luitenant te gaan dienen. Als officier reed hij zo nu en dan paard en gaf hij opdracht tot het aanleggen van loopgraven. Regelmatig lag hij onder zwaar vijandelijk vuur, maar hij overleefde de oorlog zonder al te veel kleerscheuren. Wel raakte hij een paar keer gewond. Hij bracht het tot kapitein en ontving enige onderscheidingen voor zijn dapperheid.

In januari 1914 deed De Berly ook enkele uitspraken over de broer van De P., Charles. Het leven van Charles zou kort zijn en gewelddadig eindigen: 'Laat hem voorzichtig zijn als hij op jacht gaat, een kogel zal zijn dood veroorzaken.' In december 1914 werd Charles de P. op jonge leeftijd door een Duitse kogel dodelijk getroffen en werd ook deze voorspelling bewaarheid. [24,38]

Een sterk staaltje van telepathie overkwam mevrouw Fussey uit Wimbledon in de nadagen van 1914. Het Britse tijdschrift *Light* schreef erover op 12 december 1914: 'Op 4 november j.l. was mevrouw Fussey uit Wimbledon thuis toen ze plotseling een stekende pijn in haar arm voelde, alsof ze gewond was. Ze sprong op en schreeuwde het uit terwijl ze over haar arm wreef.

Haar echtgenoot bekeek haar arm maar kon geen spoor van letsel ontdekken. Mevrouw Fussey, die over de pijn bleef klagen, riep nu uit: "Tab is gewond aan zijn arm, ik voel het!"

Op maandag 9 november kreeg de heer Fussey een brief waarin hem verteld werd dat zijn zoon in het ziekenhuis lag omdat hij een schot in zijn arm had gekregen. Hij was als enige overgebleven van het 9de Regiment Lansiers; de anderen waren dood, zeer zwaar gewond of vermist.'[24, 39]

Diverse experimenten in Frankrijk, Engeland, Duitsland, de Verenigde Staten, Rusland en Mexico hebben aangetoond dat telepathie bestaat. Wetenschappers vermoeden dat de menselijke geest, de ziel, losstaat van de hersenen maar de hersenen doorgaans wel gebruikt als middel om zich te manifesteren. Telepathie zou plaatsvinden op het moment dat de geest de hersenen omzeilt om rechtstreeks contact te krijgen met een andere menselijke geest. Dit contact kan bestaan uit het 'overzenden' van informatie over een afstand niet groter dan een paar meter, maar schijnt zich in de praktijk eigenlijk niet veel aan te trekken van afstanden, zoals tussen continenten. De hersenen als voertuig van de ziel werken naar men aanneemt belemmerend op het bij ieder mens in beginsel aanwezige vermogen om door telepathie te communiceren of in de toekomst te kijken. Als in de hersenen deze belemmering om wat voor reden dan ook geheel of gedeeltelijk opgeheven wordt, spreken we over het hebben van een gave, een gave die kan zorgen voor het krijgen van visioenen en telepathisch contact. Het kan wel eens zo zijn dat frontsoldaten die plotseling hun eigen dood meemaken deze ervaring als zo schokkend ervaren, dat hierdoor de 'telepathiebelemmering' in de hersenen wordt opgeheven zodat de stervende zijn gedachtegolven spontaan kan uitzenden naar degene van wie hij houdt. In de literatuur zijn veel gevallen beschreven van moeders en vaders die telepathisch op de hoogte werden gebracht van het sterven van hun kind. Het komt kennelijk niet alleen tijdens de Eerste Wereldoorlog voor, maar ook tijdens andere oorlogen.

HOOFDSTUK 14

Het falen van Von Moltke

Generaal Von Moltke had geconstateerd hoe de bewegingsoorlog was overgegaan in een stellingenoorlog. De uitvoering van het 'onfeilbare' Duitse aanvalsplan, het naar zijn bedenker genoemde 'Von Schlieffenplan', was mislukt. Von Moltke begreep de betekenis van deze gebeurtenissen. De Duitse keizer Wilhelm II kreeg van de generaal te horen dat de oorlog op termijn was verloren. De keizer ontsloeg zijn bevelhebber 'wegens ziekte' en gaf het bevel aan de bikkelharde generaal Von Falkenhayn. Von Moltke was volledig terneergeslagen, werd ziek en overleed in 1916. De nauwe band die tussen hem en zijn vrouw Eliza bestond werd hierdoor niet verbroken. Ook na zijn dood bleef hij met haar in contact staan. In 1916 en 1917 vertelde hij haar vanuit gene zijde hoe de kosmische wereld eruitzag en hoe het heden, het verleden en de toekomst met elkaar verbonden en verweven waren. De aardse geschiedenis was volgens hem een cyclus van zo'n duizend jaar. Deze tijdsduur vertoont een frappante gelijkenis met Openbaringen 20:7: 'Wanneer de duizend jaar voleind zullen zijn, dan zal de Satan worden losgelaten uit zijn kerker.'

Von Moltke, die als in een soort visioen aan Eliza verscheen, voorspelde met grote nauwkeurigheid de militaire nederlaag van Duitsland, de vernederende bepalingen van het verdrag van Versailles, het ontstaan van het communisme en het fascisme, de

72

opkomst van een nieuwe Duitse leider die ervoor zou zorgen dat er een nog omvattender en vernietigender oorlog zou uitbreken en het verdere verloop van de twintigste eeuw.

Von Moltke had deze nieuwe leider herkend als de reïncarnatie van de duizend jaar eerder geëxcommuniceerde aartsbisschop Landolf II van Capua (*879). Deze door keizer Lodewijk II uit zijn ambt gezette geestelijke had in zijn familiewapen een haken-kruis (!) en was zich in zijn kasteel van Kalot Enbolot in de bergen boven Monte Castello te buiten gegaan aan zwarte magie. Samen met adepten vormde hij een duister occult gezelschap, ook deze volgelingen waren wedergeboren en zouden zich, volgens Von Moltke, in de top van het nieuwe Duitsland gaan nestelen (zie ook hoofdstuk 1.28: Adolf Hitler en de Heilige Lans).

De nieuwe leider zou volgens Von Moltke de Lans van Longinus in zijn bezit krijgen, het op waarde weten te schatten en het gebruiken als een machtige talisman tijdens zijn poging de wereldheerschappij te verkrijgen.

De profetieën van wijlen Helmuth von Moltke werden door zijn vrouw Eliza uitgetypt en tot honderden pagina's verwerkt. Eliza von Moltke legde veel ervan voor aan de vermaarde dr. Walther Stein, Oostenrijks filosoof en natuurkundige, die er danig van onder de indruk was. Dr. Stein vocht tijdens de Eerste Wereldoorlog als officier in het Oostenrijks-Hongaarse leger aan het Russische front. Hij werd enkele keren voor zijn moed onderscheiden en vluchtte in 1938, na de 'Anschluß' van Oostenrijk, naar Engeland. Daar werd hij vertrouwelijk adviseur van Churchill; de Engelse premier was bijzonder geïnteresseerd in de diepere drijfveren van Adolf Hitler.

De geschriften van Eliza von Moltke circuleren, naar verluidt, nog steeds bij occulte verenigingen in Duitsland.[13,28]

HOOFDSTUK 15

Het dagelijks leven in de loopgraven

De ellende in de loopgraven had een aanvang genomen. Sleur, doodsangst omdat elk moment een granaat kon inslaan, vlooien, luizen, muggen en ziekten hadden de plaats ingenomen van slopende dagmarsen. Slecht voedsel en het aanvankelijke tekort aan schuilplaatsen, dat ervoor zorgde dat veel militairen geen droge draad meer aan hun lijf hadden, waren onderdeel van het dagelijkse bestaan. Plaatselijk zorgde de hoge grondwaterstand voor een nieuwe ziekte: trenchfeet, loopgraaf-

Duitse loopgraaf

voet. Het water in de loopgraven leidde ertoe dat voeten niet meer droog werden, waardoor afsterving optrad.

Ratten hadden de tijd van hun leven, niets was veilig voor deze knaagdieren en werkelijk alles werd aangevreten. Zelfs de weerloze gewonden in het niemandsland, de strook grond tussen de wederzijdse loopgraven, vielen ten prooi aan de scherpe tanden van de dieren. Het gegil van de stervenden werkte enorm demoraliserend want het was door het vijandelijke vuur meestal onmogelijk de aangeschoten kameraden in veiliger haven te brengen. Iedere belligerent had een premie gezet op het doden van de ratten, het was een welkom tijdverdrijf. Volgens de overlevering bereikten sommige ratten de omvang van een volwassen kat.

Kwam je als soldaat even met je hoofd boven de borstwering uit, dan liep je de kans te sneuvelen door de kogel van een sluipschutter. Geen moment van de dag kon je je veilig voelen. Dag en nacht werden er over en weer granaten afgeschoten, al was het maar om roestvorming in de stalen lopen van de kanonnen te voorkomen. Ieder moment kon er abrupt een einde komen aan het jonge leven in de loopgraaf. De soldaten in hun holen waren blootgesteld aan weer en wind, de winter van 1914-1915 stond bekend voor zijn kou en slagregens. Velen hoopten op een 'Heimatschuß', een 'Blighty' of 'Bonne Blessure': een verwonding net ernstig genoeg om aan de ontbering van de oorlog te ontsnappen zodat men gedurende de rest van de strijd veilig in het vaderland kon herstellen.

Aanvankelijk, wellicht tot aan de inzet van het strijdgas, was er amper sprake van haat tussen de soldaten van de strijdende partijen. Als ze geen uitdrukkelijke opdrachten kregen van hun officieren lieten de soldaten elkaar over het algemeen met rust. Talrijk zijn de verhalen van voorposten in het niemandsland waar tegenstanders gesprekken voerden en zelfs spulletjes ruilden. Er heerste het gevoel lotgenoten te zijn, mensen die dezelfde misère noodgedwongen moesten delen.

Niet alleen de ellende was aan beide zijden van het front

gemeengoed, ook wat bijgeloof betreft deden de tegenstanders nauwelijks voor elkaar onder.

Door middel van het dragen van amuletten en medaillons, het proberen te ontdekken van – en het handelen naar – voortekenen en het uitoefenen van rituelen hoopten soldaten van alle oorlogvoerende partijen hun verblijf in de gevechtszone te overleven. Vooral de Italiaanse militairen waren vernuftig in het bedenken van strategieën, gebaseerd op bijgeloof, om te overleven. Menig Italiaan droeg drie kaarten bij zich waarop de namen van de drie Wijzen uit het oosten stonden: Caspar, Melchior en Balthasar. De kaarten werden in verschillende zakken gedragen. De achterliggende gedachte was dat de drie Wijzen onlosmakelijk met elkaar waren verbonden, zodat het lichaam van de drager minder kans liep door een granaat te worden uiteengereten. Veel soldaten uit de landstreek Abruzzi hadden zakjes bij zich met aarde uit de geboortestreek, anderen gaven de voorkeur aan stof uit een kerk, uit een kapel of afkomstig van een pelgrimage.[40]

Australische soldaten namen stukjes wingerd mee naar het front, Finnen kleine flesjes met water afkomstig van een soort tovenaar. Bij alle strijdende partijen waren afbeeldingen van Jezus en heiligen evenals allerlei religieuze prullen gemeengoed.

Britse artilleristen bij Ieper waren ervan overtuigd dat de romans van sir Henry Rider Haggard ongeluk brachten. Het was hen opgevallen dat altijd als er pakketten met deze boeken waren aangekomen, er zeer onaangename dingen gebeurden. Het gevolg was dat alle boeken van Haggard direct na aankomst werden verbrand.[41] Zeelieden van de Royal Navy waren ervan overtuigd dat het ongeluk bracht als ze vrijdags met hun schip een haven verlieten.

Ook de Duitse keizer was niet geheel vrij van bijgeloof. Diverse bronnen melden dat hij steevast een medaillon bij zich droeg. Zijn vader had deze gekregen van keizer Frederik. Op het aandenken was de volgende inscriptie aangebracht: 'Met mij te Sleeswijk-Holstein in 1870, in 1870-71 bij de kerkelijke dienst te Versailles; op het moment van de heroprichting van het

Keizerrijk 18 januari 1871.'[40]
In 1915 kreeg dezelfde Wilhelm II een visioen: in een droom was Maria aan hem verschenen. Zij vroeg hem ervoor te zorgen dat het katholieke Polen aan de kant van Duitsland zou vechten. De keizer stelde daarna alles in het werk om de Poolse bevolking op zijn hand te krijgen.[42]

Bijgeloof ging in die tijd ook hand in hand met het nog steeds door velen als wonderbaarlijk omschreven vliegen. Aan beide zijden van het front weigerden piloten met hun kist het luchtruim te kiezen als bij een reparatie onderdelen van een verongelukt toestel waren gebruikt. Zo waren veel vliegeniers ervan overtuigd dat het ongeluk bracht als ze vlak voor een vlucht werden gefotografeerd. Manfred Graf Von Richthofen, de Rode Baron, liet zich slechts één keer vlak voor hij opsteeg fotograferen. Tijdens een daaropvolgend luchtgevecht werd hij uit de lucht geschoten en overleed…
Zelfs het in een afwijkende kleur afleveren van een propeller werd gezien als mogelijke voorbode van ongeluk, zoals we in het verhaal van ritmeester K. Braun kunnen lezen. 'Bubi' Braun was een voorvechter van de eendekker en leerde het vliegen boven Lotharingen, toen nog Duits grondgebied. Het relaas speelt zich net voor de Eerste Wereldoorlog af, maar is zo typerend voor de beginjaren van de vliegerij dat ik het u niet wilde onthouden. Braun, die tijdens de oorlog als gevechtsvlieger vocht, vertelt: 'Toen ik in de jaren vlak voor de oorlog naar het nieuwe vliegveld Metz werd overgeplaatst en we onze eerste vluchten boven de stad en haar omgeving uitvoerden, werd ons door de firma Haruda een nieuw ontwikkelde propeller toegestuurd om te testen. De eigenaardige vorm ervan zullen oude vliegers zich zeker nog kunnen herinneren.
Mijn monteur, een trouwe ziel, nam de propeller mee om hem aan mijn vliegmachine, een Etrich-Rumpler Taube Werk Nr.5, te monteren. "Luitenant," sprak hij, "deze propeller ziet er mooi uit maar is zwart en dat zal ons zeker ongeluk brengen." Ik lachte

hem uit en zei: "Hoe kun je zo bijgelovig zijn?" De propeller werd gemonteerd en ik vatte het grootse plan op van Metz naar Zweibrücken te vliegen. Een vlucht van hemelsbreed negentig kilometer, wat in die tijd een grote onderneming was.

Ik steeg 's morgens vroeg, samen met mijn waarnemer luitenant Prinz, op. Het was het mooiste weer dat je bedenken kon. Ondanks alle moeite die we deden lukte het ons niet op een grotere hoogte dan honderdvijftig meter te komen. Toen we ongeveer halverwege waren haperde de motor meermalen om er uiteindelijk helemaal mee te stoppen, een gebeurtenis waar je toen tijdens iedere vlucht rekening mee moest houden.

Omdat we op geringe hoogte vlogen was de keus wat betreft plaatsen waar we een noodlanding konden uitvoeren niet erg groot. We naderden door de onvermijdelijke aantrekkingskracht van de aarde een door mij als geschikt geacht stoppelveld dat echter sterk omhoogliep.

Nadat we geland waren riep ik: "Spring eruit en vasthouden," maar mijn waarnemer volgde alleen het laatste op; hij hield zich stevig vast. Ik moest er zelf uit om te voorkomen dat het vliegtuig terug zou rollen.

Nadat we de magneetstoring verholpen hadden brachten we met hulp van boeren de machine naar vlakkere grond die me wat geschiktheid betreft echter ook twijfelachtig leek. Na de aanloopbaan volgde een dal zodat als we niet in de lucht zouden komen, we zeker zouden verongelukken.

Heel even dacht ik aan de zwarte propeller maar het lukte ons op te stijgen. Rond de middag vlogen we als eerste vliegtuig boven de stad Zweibrücken die volkomen in rep en roer raakte. Duizenden stroomden naar de exercitieplaats om het vliegtuig van dichtbij te kunnen bekijken. We werden met bloemen bedekt en werden door velen uitgenodigd, zoals in de begintijd van de vliegerij gebruikelijk was. De volgende dag vlogen we terug naar Metz, hetgeen vlot verliep.

Mijn monteur kwam ons stralend tegemoet en feliciteerde ons met onze succesvolle langeafstandsvlucht. Ik schudde hem de hand en zei: "Ziet u, de zwarte propeller brengt toch geen ongeluk."

Toen ik de volgende dag in dienst kwam hoorde ik dat mijn monteur door de terugslag van "de Zwarte Propeller" een oog en twee vingers had verloren.'[43]

Kerstmis 1914 bracht voor grote delen van het front een onofficiële wapenstilstand. Een recente studie toont zelfs aan dat ongeveer een derde van het front een soort kerstvrede kende. Op sommige plaatsen klommen de soldaten, eerst voorzichtig en later openlijk, uit de loopgraven om in het niemandsland te verbroederen en goederen uit te wisselen. De Fransen en Engelsen hadden bijvoorbeeld nooit te kort aan wijn of rum, de Duitsers hadden sigaren in overvloed. Hier en daar werden zelfs voetbalinterlands gespeeld.

Toen de hogere legerleidingen van beide zijden achter de verbroedering kwamen, reageerden ze furieus. Er werden strenge sancties op een eventuele volgende verbroedering gezet. Ten koste van alles moest worden voorkomen dat het zorgvuldig opgebouwde vijandbeeld werd aangetast.

HOOFDSTUK 16

De Kerk in oorlog, de Kerk onder vuur

Niet iedere militair raakte terneergeslagen door het onmenselijke leed waarmee hij bijna dagelijks geconfronteerd werd. Een enkeling liet zich erdoor inspireren en kwam zelfs tot hoogstaande geestelijke prestaties.

Franz Rosenzweig, een Duitse jood, diende gedurende de oorlog als wachtmeester bij de artillerie in de Balkan. Hij was een student filosofie met een bijzondere belangstelling voor het mystieke. Rosenzweig bekeerde zich tot het christendom om snel daarna weer terug te keren tot het geloof van zijn voorvaderen.

In de loopgraven schreef hij, oorspronkelijk op briefkaarten, zijn *Ster van Verlossing*, een godsdienstig poëtische verhandeling met als hoofdthema's de gezamenlijke geschiedenis en de gezamenlijke toekomst van christen- en jodendom. Het joodse geloof was volgens hem het anker van het christelijk geloof, terwijl het christendom als zeil voor het jodendom diende te werken. Het boek van Rosenzweig dient gezien te worden als een heldere oproep tot dialoog tussen beide godsdiensten en zou het denken van veel vooraanstaande theologen, zoals Karl Barth uit Zwitserland en de Amerikaan Reinhold Niebuhr, duidelijk beïnvloeden.

Rosenzweig vond zijn inspiratie in het leed dat hij dagelijks aanschouwde, het werkte als een soort katalysator waardoor hij zijn oproep tot wederzijds godsdienstig begrip vorm kon geven.[44]

Rosenzweig was in meerdere opzichten een uitzondering. Hij bleek in staat om boven de partijen te gaan staan en de mens, of het nu vriend of vijand was, als mens te blijven zien. Een positie die zelfs de Kerken tijdens de Eerste Wereldoorlog niet meer innamen.

Tijdens het uitbreken van de oorlog leefden bij de bevolking van de betrokken landen sterke vaderlandslievende gevoelens. Dit, in combinatie met het alom aanwezige gevoel het recht aan eigen zijde te hebben en ondersteund door de eigen geestelijkheid, zorgde ervoor dat vrijwel iedere soldaat ervan overtuigd was dat God aan zijn kant stond. Veel gelovigen zagen de oorlog als een straf Gods voor overmatig drankgebruik, de uitbuiting van de armen, het wrede kolonialisme, het overtreden van de zondagsrust, de toenemende ontkerkelijking en het verschuiven van andere maatschappelijke normen en waarden. Geen enkel land was hieraan geheel onschuldig maar toch leefde bovenal de gedachte dat de schuld van de oorlog bij de vijand moest worden gezocht.

Duitse militairen afkomstig uit Pruisen hadden op hun koppelriem een gesp met als opschrift 'Gott mit uns'; dat was niet zomaar een spreuk maar het weerspiegelde daadwerkelijk de bij veruit de meeste Duitse soldaten levende overtuiging. Britse en Franse militairen mochten zich een badge opspelden met het opschrift 'Dieu et mon droit' hetgeen op hetzelfde neerkwam.

De priesters van de Church of Engeland, de katholieke Kerk in Frankrijk en de lutherse Kerk van Pruisen hadden zichtbaar moeite een duidelijk onderscheid te maken tussen hun eigen, menselijke, nationalistische gevoelens en de manier waarop zij het beste de wensen en belangen van hun God konden dienen.

In het vooroorlogse Duitsland verlieten jaarlijks tienduizenden hun Kerk om er nooit meer naar terug te keren. Pogingen van de clerus om deze ontkerkelijking een halt toe te roepen liepen op niets uit. Tijdens de eerste maanden van de oorlog stroomden de Duitse kerkbanken echter weer vol, dit tot vreugde van de priesters. Zo sprak dominee Akermann uit Königsberg geestdriftig de volgende woorden: 'Wij dominees zeggen het nu vaak: wat zijn we toch stumpers, jaar in jaar uit bekommerden we ons om onze gemeentes, om de ziel van het volk, en moesten we onze kracht zo vaak tevergeefs aanwenden. En nu komt God met de donder van de oorlog en in een dag krijgt hij voor elkaar waar wij een mensenleven aan hebben gewerkt.'

Na enkele maanden strijd en onder invloed van de eerste meldingen over teleurstellende resultaten aan het front liep het aanvankelijke enthousiasme van de kerkgangers snel weer terug. Maar nogal wat vertegenwoordigers van de Duitse Kerken bleven de oorlog als zegen zien. De Duitse predikant Fischer bijvoorbeeld was ervan overtuigd dat God aan Duitse kant stond. In oktober 1914 hield hij de volgende op Hebreeën 13:9 geïnspireerde preek: 'Uit het gedonder van het geschut, uit het kreunen van de gewonden, uit het snikken van de achterblijvers... horen we de stem van de almachtige en heilige God: gerechtigheid verheft een volk, maar de zonde is het verderf van de mensen. (...) De roep van het vaderland is voor ons de roep van God geworden... en de zegeliederen die vanaf de rokende slagvelden en vanuit de in elkaar geschoten puinhopen naar de hemel opstijgen worden dankliederen voor de goedheid van God.'[45]

Dat de woorden van de geestelijke leiders wel degelijk invloed hadden op het denken van de soldaten blijkt onder andere uit de brief die Gerhart Pastors op 16 april 1915 schreef. In het heden is het moeilijk je in de sfeer van 1914-1918 te verplaatsen, alsof het een totaal andere wereld betreft. Soldaten als apostelen van God...: 'Op de eerste plaats echter: je wordt innerlijker. Want je verdraagt dat bestaan, die verschrikkingen, dat moorden alléén, als de geest zijn wortels in hooger sferen slaat. Je moet aan je eigen lot denken, je wordt gedwongen aan den dood te denken en in die gedachte te berusten. Je grijpt – als tegenhanger van de ontzettende werkelijkheid – naar het edelste en hoogste. Je zoudt naar de ziel ten gronde gaan, als je niet het geloof had aan een rechtvaardig besturende macht, een bovenaardsche macht en daarom vind je dat geloof ook, en daarom zullen wij, soldaten, de apostelen van een sterk geloof in God zijn, – en dat geloof aan God brengt ons van zelf tot een sterk geloof in ons volk en dát geloof weer tot een innige liefde en die liefde tot een groote bereidwilligheid zich op te offeren. Oh, hoe wij ons als Duitsers voelen!'[46]

In een brief die soldaat Rudolf Dünnbier op 15 november 1915 naar huis stuurde is ook al sprake van verheerlijking van de oorlog: 'Mij omgaf een vreemde rust en aldoor klonken mij de woorden in het oor, die een geestelijke uit Bremen mij schreef: "Dagelijks moogt ge u sterken door het bewustzijn, de drager der grootse dingen op aarde te zijn. Gij moet ze dragen met uw ziel, die niettegenstaande alles geloovig is, gij moet ze dragen in uw vuisten, die hameren op de vijanden. God met u – en daarom voorwaarts er door heen bijten! De oorlog is in ieder geval de weg ten Leven." Deze laatste woorden – "De oorlog is in ieder geval de weg ten Leven" – bevatten waarheid in ieder geval voor het Duitsche Vaderland. Ik had mijn vaderlandschen plicht, dien ik mijzelf opgelegd had, vervuld – dat was mijn trots; ik had mijn geloof aan het hoogste weergevonden – dat was mijn vreugde...'[46]

Pastors en Dünnbier waren Duitse soldaten. Hun tegenstanders schreven soortgelijke brieven over soortgelijke 'verheven' gevoelens...

Net zoals in Duitsland was in Frankrijk en Engeland in de jaren voor de oorlog een ontkerkelijking op gang gekomen. In deze landen waren het spiritisme en het occultisme populair geworden. Naar het schijnt waren tijdens de oorlog alleen al in het plaatsje Kensington honderdtachtig mediums (= contactpersonen tussen onze wereld en de volgende) actief![47] De belangstelling voor het supranormale in Frankrijk en Engeland was duidelijk ten koste gegaan van de kerkgang. In beide landen was in de eerste maanden van de oorlog, net zoals in Duitsland, een opleving te zien in het aantal kerkbezoeken. Maar omdat ook hier de vurige gebeden kennelijk niet werden verhoord wendden velen zich na enige tijd opnieuw af van hun Kerk.

In de door de Duitsers bezette gebieden in België en Frankrijk werden veel kerken gevorderd om er de eigen katholieke en protestantse diensten te houden. Toch droegen de Duitsers er zorg voor dat ook de bevolking haar kerkdiensten kon blijven bijwonen. De gelovigen konden, zonder dat hen een strobreed in de weg werd gelegd, hun gesneuvelde familieleden en andere doden herdenken.[48]

In de legers van de oorlogvoerende landen maakten geestelijken deel uit van de militaire organisatie. Veldpredikers en aalmoezeniers waren verantwoordelijk voor de 'geestelijke verzorging te velde'. De geestelijkheid was niet voorbereid op een oorlog op dergelijk grote schaal en er was aanvankelijk een groot tekort aan geestelijken die aan het front wilden dienen. Het Britse leger bijvoorbeeld sloot 1914 af met honderdeenentwintig zielzorgers; hun aantal zou oplopen tot ruim zesendertighonderd in 1918. In het Franse en Duitse leger was de situatie vergelijkbaar.

De rol van de veldpredikers, aalmoezeniers en andere militaire zielzorgers was eigenlijk uiterst dubieus en dit ontging veel soldaten niet. De bijbel staat vol met verwijzingen waaruit blijkt dat oorlog in strijd is met het christendom. Alleen al door hun aanwezigheid hielpen de geestelijken mee aan het instandhouden van de excessen waartoe een systeem kon leiden. Natuurlijk waren zij een bron van troost voor soldaten die dagelijks de dood voor ogen hadden. Menig herder deelde met zijn kudde broederlijk het gevaar van een verblijf in de voorste linie en vele zieken en stervenden putten kracht uit de aanwezigheid van een priester. Het leverde de Kerk een arsenaal van mooie verhalen op over de offervaardigheid van hun dienaren, waarvan dankbaar gebruik werd gemaakt. Zo is er het verhaal van hoe een zwaargewonde man een veldhospitaal werd binnengebracht. Daar vervloekte hij God en de situatie waarin hij zich bevond. Pas toen bleek dat hij aan zijn verwondingen zou bezwijken en hij zijn eind voelde naderen riep hij om een priester. De verpleegster die hem verzorgde begreep zijn behoefte en ging op zoek. Al snel bleek dat de enige priester in het ziekenhuis zelf ook meer dood dan levend was en zelfs zo nu en dan al het bewustzijn verloor. Desalniettemin ging de zuster naar zijn bed en legde hem de situatie uit.

De geestelijke opende zijn ogen en leek wat van zijn krachten te hervinden. Hij vroeg naar het bed van de stervende te worden gedragen. Hospitaalsoldaten legden de stervende priester en de stervende soldaat met hun hoofden naast elkaar. Zacht spraken ze met elkaar en de soldaat ging te biecht. De priester wilde hierop absolutie verlenen maar kon zijn hand niet meer bewegen. Met de hulp van de zuster maakte hij het kruisteken. Hij fluisterde: 'Dominus noster Jesus Christus te absolvat,' met erna de woorden: 'Vandaag zul je met mij in het paradijs zijn.' Even later lagen twee doden op het bed.[49]

Het is natuurlijk moeilijk bezwaar te maken tegen het begeleiden van stervenden en het verlenen van absolutie te velde en in noodziekenhuizen. Feit blijft echter dat alleen al de aanwezigheid van priesters een zekere legitimatie van de oorlog inhield.

Wie de verslagen leest van de preken die tijdens de oorlog thuis, maar zeker ook in het veld werden gehouden staat verbaasd over het nationalisme waarmee ze doorspekt zijn. Vrijwel zonder uitzondering, en aan beide zijden van het front, werd ervan uitgegaan dat de vijand de agressor was, de goddeloze schuldige die moest worden bestreden. De strijd tegen het kwade maakte dat een vroegtijdige dood zinvol kon zijn, een weg naar de eeuwigheid. Nog vreemder is het ritueel van het voor de strijd zegenen van de kanonnen en andere wapens, een plechtigheid die bij alle oorlogvoerende partijen werd uitgevoerd. 'Alle zegen komt van boven' kreeg hierdoor wel een heel bijzondere betekenis. Paus Pius X werd in 1914 tot tweemaal toe door de ambassadeur van Oostenrijk-Hongarije gevraagd de wapenen van dat land te zegenen, maar tot tweemaal toe antwoordde hij: 'Ik zegen de vrede.'[8] Zijn bisschoppen en priesters riepen vanaf de kansel op tot 'plichtsbesef' en verheerlijkten persoonlijke dapperheid en moed. De katholieke, protestantse en anglicaanse Kerken hielden zich, hand in hand met de regeringen van hun land, bezig met oorlogsstemmingmakerij. En niet alleen vanaf de kansel bemoeide de geestelijkheid zich actief met de oorlog. Kapitein W.B. Bagot Chester vertelde hoe hij aanwezig was bij een preek van de bisschop van Londen. Later sprak hij even met de man: 'Tijdens ons gesprek zei hij (de bisschop) dat als hij thuiskwam "de hel zou uitbreken" over het tekort aan munitie. Generaal French in eigen persoon had hem verteld dat de oorlog in zes maanden afgelopen was geweest als we de benodigde hoeveelheid munitie voorhanden hadden gehad. Granaten, natuurlijk, daar had hij naar verwezen.'[50]

Mis voor militairen bij de kathedraal van St. Paul opgedragen door de bisschop van Londen

De priesters in dienst van de legers van hun land waren zo'n onlosmakelijk onderdeel van de militaire organisatie geworden, dat ook zij in groten getale sneuvelden. In de jaren direct na de oorlog was er in Frankrijk en Duitsland, en in mindere mate in Engeland, zelfs een schreeuwend tekort aan priesters. Dit werd veroorzaakt doordat velen van hen het leven hadden gelaten op de slagvelden. In dapperheid hadden ze voor menig soldaat niet ondergedaan. Ze zorgden ervoor dat de voorspelling van Charles

Russell, voorman van de voorloper van de Jehovah's Getuigen, waarheid zou worden. De voorspelling waarin hij zei dat de geestelijken hun steun en zegen zouden geven aan de strijdende partijen en aan het zinloze bloedvergieten was ten volle uitgekomen. De katholieken en protestanten, aan beide zijden, hadden de soldaten ondubbelzinnig aangemoedigd elkaar af te slachten...

HOOFDSTUK 17

Gas aan het front

In een poging een doorbraak te forceren in de volledig vast-gelopen situatie gebruikten de Duitsers op 22 april 1915 in de buurt van Ieper voor het eerst strijdgas. Ze hadden 5730 hogedrukcilinders ingegraven met elk 40 kilo samengeperst chloorgas. Om 17.00 uur werden de kranen ervan opengedraaid en een bruingele wolk dreef naar de Franse linies. De Zouaven en Tirailleurs van de 45ste Algerijnse Divisie wisten niet wat hun overkwam. Wie kon lopen sloeg op de vlucht, stervenden en doden werden achtergelaten. Op een dergelijk succes had de Duitse legerleiding niet gerekend en er waren dan ook onvol-doende manschappen voorhanden om de geslagen bres in de vij-andelijke linie in te gaan, te bezetten en door te stoten. De Duitsers lieten hierdoor de kans om de oorlog naar hun hand te zetten voorbijgaan.

Al snel troffen de geallieerden hun tegenmaatregelen, deden de eerste gasmaskers hun intrede en gingen ook zij strijdgas gebruiken. Het onmenselijke chloorgas (de slachtoffers stikten in hun eigen bloed doordat de longblaasjes kapotsprongen) werd al snel vervangen door nog gemener gas. Mensen zijn nu eenmaal erg goed in het bedenken van middelen om hun medemensen te kwellen. Gas als strijdmiddel was volledig in strijd met de bepa-lingen van de Conventies van 's Gravenhage van 1899 en 1907, die ook de Duitsers hadden ondertekend. Door de aanval op het neutrale België was een groot deel van de wereldopinie al anti-Duits; na de inzet van gas kon Duitsland helemaal op weinig sympathie rekenen. Dit zouden de Duitsers later, tijdens het opstellen van het vredesverdrag van Versailles, nog lelijk opbreken.

De Amerikaanse Elsa Baker stond tijdens de oorlog in contact met, wat zij noemde, een levende dode. Op 27 mei 1915 – de Verenigde Staten waren nog niet in oorlog met Duitsland – vertelde deze dolende ziel haar in 'Letter XLIV' over het gebruik van gifgas het volgende: 'Vannacht zal ik niet over liefdadigheid met u praten. In plaats daarvan zullen we het hebben over oostenwind en gifgassen en de demonen die de gifgassen berijden. Opnieuw is de hel losgelaten op de wereld. Buiten is het erger dan tijdens de maand voor de oorlog. Gedurende elf dagen ben ik niet met u geweest. Ik had tijdens deze elf dagen zelfs geen tijd om een uur met u door te brengen. Was u al sterk genoeg om te kunnen horen wat ik KON vertellen, u zou het nooit wereldkundig hebben gemaakt; maar ik kan u veel vertellen van de dingen waarvoor u sterk genoeg bent om ze te horen en die waardig zijn om door de wereld te worden gekend. Oostenwind en gifgas! Het idee alleen al lijkt duivels, want mensen sterven in niet te beschrijven foltering door de gassen geboren op de winden van het Duitse kamp die waaien naar de kampen, waar rationele menselijke wezens de oorlog voeren met menselijke middelen. Maar gifgassen zijn demonisch en demonen rijden erop.
Ik heb ze voorwaarts zien rollen in menigten, hun ogen vonkten door de haat, hun monden vertrokken door wrok en triomf. Oh, u die nog veilig bent in uw geboorteland! Als u achter de loopgraven van de vijand kon kijken, als u kon zien wat zich schuilhoudt boven het vijandelijke kamp, dan zou u zelfs medelijden met de vijand hebben. Ik kan u zeggen dat velen die daar buiten zijn absoluut ijlend en gek zijn.
Als menselijke wezens, de kracht van haat inroepend, zulke dampen uit de hel zenden om hun medewezens te laten stikken en kwellen, dan hebben ze opgehouden menselijk te zijn. Ik, die hun

zielen zie, ben ziek van afschuw. Misschien is het goed dat u nu alleen bent, want de dingen die ik u vertel kunt u het beste alleen verdragen.

Was het niet voor het werk dat u in de toekomst moet verrichten, was het niet voor dit werk en wat nog zal volgen, ik zou u voor altijd uit deze wereld nemen, weg uit deze wereld voor zover het dit leven betreft. Maar u moet het tot het eind volhouden, zoals ik zal volhouden tot het eind, want u hebt werk te doen.

Zij die zeggen dat alles goed gaat in Duitsland liegen dat ze barsten, of ze zijn als gehypnotiseerd door de leugens die ervoor zorgen dat Duitsland vasthoudt aan het geloof dat het kan overwinnen.

Als de hel de hemel zou kunnen overwinnen zouden alle zielen verloren gaan. Als de haat nu zou overwinnen zou de wereld uit elkaar breken.

Haat! U kent de betekenis van het woord niet. Haat van Engeland, haat van Amerika, haat van Italië! De wedloop die tot deze oorlog inspireerde is tot op de laatste moleculen vergiftigd met haat. Baby's krijgen het binnen met de moedermelk en hun magen worden zuur. Kinderen zien het in de ogen van hun ouders en verschrompelen uit angst voor hun eigen afkomst.

Nee, u kent de betekenis van haat niet.

Op de gifgassen, geboren op de oostenwind, kwam een demon zonder ogen tot me. Waar kwam hij vandaan? Van een onderaardse hel waar geen licht is en derhalve geen behoefte aan ogen. Als ik kon tekenen dan kon ik hem aan u tonen; maar woorden werden bedacht om de dingen die bekend zijn door de ervaring van de levensloop uit te drukken, en niemand die zulke dingen gezien heeft gebruikte taal om ze te beschrijven. Rondtastend zocht hij zijn weg, dat astrale monster greep zich vast aan een menselijk slachtoffer, een gevangene in de handen van de Fransen – een die gespuugd had naar zijn bewakers door de krankzinnigheid van de haat.

Nee, ik zal u niet vertellen wat volgde; maar de astrale ziel van de gevangene verdween uit zijn lichaam en keerde niet terug.

Deze poging om de wereld te vertellen wat ik nu weet is als het spelen van Beethoven op een speelgoedfluitje. Ik voel me zoals een wiskundige zich zou voelen als hij het optellen zou moeten uitleggen aan kleine kinderen. Ik durf niet meer te vertellen dan ik al doe, want u zou het niet kunnen bevatten. De wereld is oud, en de wereld acht zichzelf wijs, en de wereld kwam tot dit!

Er zijn vele eerlijke zielen die verlangen naar ervaringen van de astrale wereld. Ik heb iemand horen zeggen dat een bepaalde aanval "slechts astraal" was. Ik luisterde en zei geen woord. Weet u wat de astrale wereld is, u die er kennis over zoekt?

De astrale wereld is de wereld van voelen, de wereld van emoties, de wereld van liefde en haat. De astrale wereld is op dit ogenblik zo dichtgegroeid door kwaadaardige hartstochten dat het met een mes te snijden is. Het wordt nu vaak gesneden door messen, door bajonetten, en de zich verdringende demonen lijden door het contact met het staal.

"Slechts astraal!" De astrale wereld boven New York, ontzagwekkend zoals u weet, is niets vergeleken met de astrale wereld boven de slagvelden. Blijf ervan weg! U kunt daar niets goeds doen. Als het mogelijk is ga dan omhoog te midden van de bergen en zoek in de pure lucht van de pijnbomen genezing van het gif afkomstig uit de astrale wereld boven New York. Ga erheen en blijf totdat de druk uitgeput is. U kunt geen goed doen waar u ook bent. Ik kan beter schrijven in de pure lucht van de pijnbomenbossen. Ga weg uit de giftige dampen van het onneutrale New York, want duivels rijden op de winden der haat, en u zult niet door hen vernietigd worden.

U hebt in de toekomst werk te doen.'[51]

De Amerikaanse spiritiste Elsa Barker werkte, zoals ze zelf zei, als een soort tussenpersoon die de levende doden met de levenden verbond. Door middel van automatisch schrift schreef zij de boodschappen op die X haar doorgaf. X was een levende dode die zijn aardse herkomst en naam niet bekend wilde maken.

Het boek *War letters of the living dead man* staat vol met beschouwingen over bijvoorbeeld de Duitse oorlogsgeest, de loopgraven, de ondergang van de Lusitania en andere aan de jaren '14-'18 gerelateerde onderwerpen.

De inzet van het strijdgas zorgde ervoor dat het doden nog fabrieksmatiger kon geschieden dan voorheen het geval was. En het doden van medemensen werd al geruime tijd op industriële wijze gedaan… Overigens is het aantal slachtoffers dat viel door gas te verwaarlozen bij het aantal soldaten die omkwamen door granaatbeschietingen.

Vooral de Franse en Britse bevelhebbers lieten hun manschappen zoveel mogelijk keurig in linie oprukken naar de stellingen van de Duitse tegenstander. Vrijwel altijd liepen de soldaten vast in het overvloedig aanwezige prikkeldraad, waarna ze met Duitse 'Gründlichkeit' door mitrailleurschutters aan flarden werden geschoten. De angst die militairen vlak voor en tijdens een aanval doorstonden was immens. De kans om te sneuvelen tijdens een stormaanval was meestal groter dan de kans om te overleven. Sommigen lieten voor de aanval alles lopen, niet iedereen was in de wieg gelegd om als held te eindigen. De meeste soldaten klampten zich vast aan de kleine kans ongeschonden uit de strijd te komen. Het was maar goed dat de afloop van de aanval niet bekend was, inzicht in de toekomst zou in dat geval een kwelling zijn.

In 1915 meldde de Duitse paragnost Semmler zich, op de leeftijd van vijftien jaar, als vrijwilliger bij het Duitse leger. Semmler had al op zesjarige leeftijd sterke voorgevoelens met betrekking tot het overlijden van mensen, voorgevoelens die uitkwamen. Ook tijdens de oorlog voorzag hij met grote nauwkeurigheid wie van zijn kameraden zou sneuvelen. Semmler kon niet met zijn gave omgaan en het werd een marteling voor hem. Zo erg zelfs dat hij zijn heil zocht in zwaar alcoholgebruik. Pas na de oorlog lukte het hem, met hulp van de befaamde antroposoof dr. Rudolph Steiner, om met zijn paranormale begaafdheden om te gaan.[24]

Nadat Turkije in oktober 1914 de kant van Duitsland en Oostenrijk-Hongarije had gekozen, werden in Groot-Brittannië de eerste plannen gemaakt om de Turkse Dardanellen, een zeeengte die de Middellandse Zee met de Zwarte Zee verbond, te veroveren. Van 19 februari 1915 tot 9 januari 1916 werd om het schiereiland Gallipoli hevig slag geleverd. De Frans-Britse vlooten legeronderdelen kregen een enorm pak slaag van de Turken, die zich niet van hun hoger gelegen posities lieten verdrijven.

Een matroos krijgt een zeemansgraf in de buurt van de Dardanellen

Father Eric Green, een rooms-katholieke priester in Britse militaire dienst, herinnert zich een dag in april die hij in Gallipoli doorbracht: 'Ik had geen moment voor mezelf; de ene gewonde en stervende man volgde op de andere. Ik had net tijd om, als de man bij bewustzijn was, zijn biecht en een gemompelde akte van berouw aan te horen, absolutie te verlenen en te zalven, voordat een nieuwe man mijn aandacht opeiste. Arme kerels met alle mogelijke verwondingen, misvormd en smerig door het bloed, klei en vuil, vaak onherkenbaar en vaak met afgerukte lichaams-

delen. Maar plotseling, als het ware ondergedompeld in het diep-
tepunt van deze vallei van lijden en dood, realiseerde ik me
amper nog de verschrikking om me heen; er was geen tijd om te
denken, alleen maar om te handelen op de manier zoals ik dat
daar moest doen. Aanblikken waarvan men in normale tijden
ontmoedigd zou raken trokken aan me voorbij met een zakelij-
ke onverschilligheid, behalve het geval van een arme jongen: een
knul uit Haileybury, nauwelijks negentien, die eruitzag alsof hij
sliep maar jammerde om zijn moeder. Hij had een kogel vlak bij
zijn hart gekregen en stierf nog voordat een uur voorbij was.'[50]
Een ander geestelijke, dr. R.F. Horton uit Manchester, vertelde in
diverse kerkbladen hoe Turkse luchtschepen boven een volgela-
den troepenschip in de buurt van de Dardanellen hingen om hun
bommen te laten vallen. De kapitein van het schip, een gelovig
man, gaf de soldaten opdracht te bidden. De achttien door de
Turken afgeworpen bommen vielen naast het schip waar de
Britten op het dek hun gebed deden.[29]

Voor de geallieerden werd het bloedbad op Gallipoli een totale
militaire mislukking. Volgens de overlevering stapelden de Turken
op sommige plaatsen de lijken van hun tegenstanders op elkaar
om zich erachter te verschansen...
,Op 21 augustus 1915 vond op Gallipoli een bijzondere gebeurtenis plaats die na de oorlog nog eens door ooggetuigen werd
bevestigd. Honderden Britse militairen marcheerden op die dag
in de buurt van de Baai van Suvla een vreemd soort grijsachtige,
massieve wolk binnen die laag boven de grond leek te hangen.
De lengte van de wolk werd geschat op ruim 240 meter met een
hoogte en breedte van ongeveer 60 meter. Geen van de soldaten
verliet de wolk en na ongeveer een uur steeg de 'wolk' op tot
zo'n kilometer hoogte. Daar kwam de wolk samen met zes tot
acht soortgelijke wolken om vervolgens in de richting van
Bulgarije te verdwijnen.
Na de capitulatie van Turkije in 1918 eiste Groot-Brittannië dat
de mannen van het verdwenen regiment zouden worden vrijge-

laten. Het antwoord van Turkije was dat ze van het bestaan van het regiment niet wisten en dat ze er nooit mee in gevecht waren geweest, laat staan dat ze de Britten krijgsgevangen hadden gemaakt.

Op dezelfde dag als de verdwijning, 21 augustus 1915, wordt melding gemaakt van het verdwalen van een aantal bataljons in dezelfde sector. Hun kompassen hadden de verkeerde richting aangegeven doordat ze te veel van het noorden afweken...[52]

HOOFDSTUK 18

De patstelling

Over het algemeen had het Duitse leger zich aan het Westfront gehouden aan een tactiek van verdedigen. Het hield zich voornamelijk bezig met het versterken van zijn posities. Van heinde en ver werden beton, prikkeldraad, wapens en andere benodigde spullen aangevoerd.

De Fransen, maar vooral de Britten, hadden klaarblijkelijk moeite om te wennen aan de stellingenoorlog. Ze leken maar niet te begrijpen dat de troepen bij een aanval vastliepen in de rollen prikkeldraad, waarna ze gemakkelijke slachtoffers werden van de vijandelijke mitrailleurs.

In mei 1915 bijvoorbeeld vielen de Britten en Fransen gezamenlijk aan bij Artois in Frankrijk. Het resultaat was duizenden doden en geen noemenswaardige terreinwinst. Na enkele weken werd dan ook gestopt om in juni de aanval te hervatten. Weer stapelden de doden zich op en weer liep de aanval vast. In september gingen de Fransen en Britten nog eens in de aanval. Het resultaat van maanden vechten was vrijwel nihil, het aantal slachtoffers was indrukwekkend: aan Frans-Britse zijde 250.000 en 140.000 bij de Duitsers.

Aan het oostfront met Rusland was de situatie wat gestabiliseerd. De Russen waren enkele gevoelige klappen toegebracht en het was zelfs mogelijk bijna een half miljoen mannen van het oostfront over te plaatsen naar het Westfront. Het zorgde voor een patstelling die nog jaren kon voortduren, ware het niet dat de geallieerde (zee)blokkade zijn vruchten begon af te werpen. Deze blokkade zorgde ervoor dat Duitsland via de zee vrijwel geen goederen meer kon invoeren. In Duitsland ontstond langzamerhand een acuut tekort aan allerlei elementaire levensbehoeften. Doordat oogsten mislukten vanwege een tekort aan kunstmest stegen de prijzen van voedsel enorm en er moest worden overgegaan op distributie. Ook kleding, brandstoffen om de huizen mee te verwarmen en bijvoorbeeld zeep werden schaars. Omdat ook het leger gebrek kreeg aan allerlei essentiële zaken dreigde de oorlog voor de Duitsers op den duur verloren te gaan, niet op het slagveld maar door oplopende tekorten.

HOOFDSTUK 19

Adolf Hitler als soldaat

Jesaja had het al geprofeteerd toen hij het over de te verwachten Messias had: 'Geen been van hem zal gebroken worden.' Tijdens de kruisiging van Jezus wilde een afvaardiging van de tempelwacht dan ook de botten van de gekruisigde breken. Hierdoor kon aan het volk duidelijk worden gemaakt dat Jezus een bedrieger en oplichter was en niet de langverwachte verlosser. Een Romeins officier die als getuige bij de executie aanwezig was besloot, als een soort barmhartige daad, de afschuwelijke verminking van het lichaam van Jezus te voorkomen. Hij was van mening dat de lijdensweg van Jezus al zwaar genoeg was geweest en stootte een lans door de rechterborstkas. Tot ieders stomme verbazing stroomde uit het schijnbaar levenloze lichaam bloed. Uit een dood lijf komt geen bloed, waardoor de Romein onbedoeld het bewijs voor de wederopstanding leverde. De aan staar lijdende legionair herkreeg terstond zijn volledige gezichtsvermogen. De lans werd door het enorme belang dat hij voor het christendom had een van de belangrijkste relikwieën van deze godsdienst. Een legende was geboren en de lans kreeg, evenals de beker waarin het bloed van Jezus werd opgevangen, de Heilige Graal, in de loop der eeuwen een mystieke betekenis. Hij die de Heilige Lans bezat, en de krachten ervan begreep, had het lot van de wereld in handen, ten goede of ten kwade.

Tijdens de eerste kruistocht werd in het jaar 1098 de stad

Antiochië ingenomen. Het was de plaats waar de Heilige Lans werd aangetroffen, die door Bohémond van Tarente als oorlogsbuit naar Europa werd overgebracht.[53]

Adolf Hitler had de jaren 1909 tot en met 1913 in Wenen doorgebracht. Deze tijd gebruikte hij onder andere voor een diepgaande studie over de Noorse en Germaanse mythologie en folklore. Vooral de geschiedenis van de 'Rijkslans' die zich in de Schatzkammer van het Hofburg-museum bevond had zijn warme belangstelling. Vol verbazing en met veel enthousiasme was hij tot de conclusie gekomen dat de speer dezelfde was als de speer die gebruikt was om in het lichaam van Jezus te stoten. Daarna had de Lans van Longinus aan een reeks fameuze Romeinse en andere veldheren toebehoord. Beroemde mannen zoals Constantijn de Grote, Theodosius en Justinianus hadden er hun krachten aan ontleend. Het was Karel Martel geweest die de Lans als talisman had gebruikt toen hij in het jaar 732 de Arabieren bij Poitiers had verslagen.

Karel de Grote had de Heilige Lans gedurende zijn hele regeerperiode binnen handbereik gehouden.[38] Eginhard, de kroniekschrijver van de keizer, beschreef nauwkeurig hoe Karel tijdens zijn laatste veldtocht van zijn paard werd geworpen. Door de klap van de val viel de Lans uit zijn hand. Op hetzelfde moment beefde de aarde bij het paleis te Aken.

Karels hovelingen zagen deze gebeurtenissen als een voorbode van de dood van hun monarch, en inderdaad had Karel de Grote nog maar kort te leven.[54]

In de periode tussen Karel de Grotes dood en het tijdstip waarop de Lans in het museum belandde hadden maar liefst vijfenveertig koningen en keizers de kracht van de Lans gebruikt om geschiedenis te schrijven. Onder hen waren bijvoorbeeld Frederik Barbarossa (1152-1190) en Frederik de Tweede (1212-1250); Barbarossa verdronk vlak na het moment waarop hij de Lans liet vallen.

Adolf Hitler was ervan overtuigd geraakt dat de Heilige Lans de sleutel tot de macht was! Diverse occulte, en deels zeer geheime, genootschappen waren tot dezelfde conclusie gekomen.

Volgens hen kon de bezitter van de Lans kiezen uit twee machtige metgezellen: een goede en een kwade geest. Beiden waren ze bereid de eigenaar te helpen bij het bereiken van wezenlijke doelstellingen. Hij die ervoor koos de slechte krachten van de Lans los te maken en deze te gebruiken, kon rekenen op bescherming tot het moment dat hij de Lans zou kwijtraken.[13]

Hitler zou het later als zijn taak opvatten om het mysterie van de Lans op te lossen en de vrijgekomen krachten te gebruiken voor zijn verregaande ambities. Hij was dan ook kind aan huis in het museum waar de Lans te zien was en raakte alleen al van de aanblik ervan in een soort trance. Op de een of andere manier was Hitler zichzelf gaan zien als de reïncarnatie van Klingsor, Landolf II van Capua (ook Von Moltke, voormalig Duits bevelhebber, sprak over de door hem voorspelde nieuwe Duitse leider als de reïncarnatie van Landolfus) en zelfs als de belichaming van de grootste vijand van het christendom: de antichrist.[13]

Hitler, in 1914 een Oostenrijks staatsburger, vroeg direct na het uitbreken van de Eerste Wereldoorlog toestemming om te mogen dienen in een Beiers regiment. Tot zijn geluk werd hij opgenomen in de 1ste Compagnie van het 16de Beierse Reserve Infanterie Regiment (R.I.R.16). Na een korte opleiding vertrok hij naar Vlaanderen. Al tijdens de eerste gevechten werd de oorspronkelijke sterkte van zesendertighonderd man gehalveerd. Hitler liep geen schrammetje op. De oorlog was voor hem een uitstekende mogelijkheid om zijn onschendbaarheid te testen.

Hij geloofde dat hij werd gespaard omdat zijn lotsbestemming van wereldhistorische betekenis was. Bijna iedere dag zag hij doden en gewonden om zich heen vallen. Als Gefechtsmeldegänger, ordonnans, kreeg hij vrijwel dagelijks levensgevaarlijke opdrachten die hem twee belangrijke militaire onderscheidingen wegens uitzonderlijke dapperheid opleverden. Wonderlijk genoeg werd hij slechts eenmaal licht gewond en raakte hij vlak voor de wapenstilstand tijdelijk blind door strijdgas.[55, 56, 57] Een bekend verhaal vertelt hoe Hitler zich zonder duidelijk aanwijsbare reden op 2 oktober 1916 verwijderde uit een pand in de buurt van Bapaume waar hij was ondergebracht. Enkele ogenblikken na zijn vertrek trof een granaat doel.

Bapaume in puin, de resten van de Grote Kerk ·

Op de plaats waar Adolf Hitler kort daarvoor had gestaan lagen nu vier doden en zeven zwaargewonden. Naar verluidt nam Hitler de situatie lijkbleek maar rustig op, een verklaring voor zijn vertrek had hij niet...[18, 58]

Tijdens de vier jaar oorlog verloor het regiment waarin Hitler diende alleen al aan doden 3754 man, meer nog dan het aantal waarmee de oorlog was ingegaan. Tegen alle statistieken in was Hitler keer op keer teruggekeerd uit levensgevaarlijke situaties.[55,56,57] Het was zelfs zo dat collega-militairen zich beschermd voelden alleen al door de aanwezigheid van de latere Führer.[56] Als enige overlevende van de eerste vier kinderen die zijn moeder baarde, had de oorlog Adolf Hitler gesterkt in zijn rotsvaste geloof dat hij onschendbaar was. Hieruit leidde hij af dat hij een belangrijke missie op aarde had.[55] Later, op 10 mei 1933, zou hij zijn toehoorders op het Eerste Congres van de Duitse Arbeiders te Berlijn toespreken met de woorden: 'Het lot heeft mij op een grillig moment, of misschien wel de plannen der Voorzienigheid uitvoerend, te midden van het volk geplaatst, onder gewone mensen.'[59] De gevolgen van Hitlers overtuiging zijn genoegzaam bekend...

HOOFDSTUK 20

Het vliegtuig als wapen

Door de massaliteit van de gevechten was er voor de gewone soldaat wat betreft grootse individuele daden geen rol van betekenis meer weggelegd. De meeste soldaten stierven naamloos een roemloze dood.

De nieuwe ridders van de oorlog waren de piloten die elkaar bevochten boven het front, bewonderend gadegeslagen door de soldaten in hun sombere loopgraven. De avonturen van de vliegeniers werden breed uitgemeten in de kranten van hun vaderland. Namen als van de Fransen Georges Guynemer en René Fonck, de Britten Mick Mannock en Albert Ball, de Amerikaan Eddie Rickenbacker en de Duitsers Manfred Freiherr 'De Rode Baron' von Richthofen en Ernst Udet spreken zelfs nu nog bij velen tot de verbeelding.

Het vliegen met de eerste gevechtsvliegtuigjes was levensgevaarlijk. 'Henry Ford, de bekende Amerikaansche automobielfabrikant,' zo lezen we in het *Dagblad van Noord-Brabant* van 29 september 1915, 'heeft in een onderhoud met Daniels, den minister van Marine, verklaard dat hij kans zag om door middel van elektrische golven onbemande vliegmachines te besturen. Op deze wijze zou het mogelijk zijn bommen op bepaalde punten te laten vallen zonder dat hierbij het leven van vliegers op het spel gezet wordt.'

De ontwikkeling die het vliegtuig gedurende de oorlogsjaren meemaakte was enorm, maar het zou nog lang duren voordat er

103

onbemand kon worden gevlogen. Aangelokt door een hoge belo-
ning was het de Fransman Louis Blériot in 1909 met veel pijn en
moeite gelukt de oversteek over het Kanaal van Frankrijk naar
Engeland te maken. Enkele jaren later, in september 1914, ontdekte de piloot van een verkenningsvliegtuig hoe de Duitse rechterflank openlag en liet mede daardoor het Von Schlieffenplan
mislukken. Vijf jaar na de prestatie van Blériot speelde het vliegtuig dus al wel een beslissende rol in de oorlogvoering.

In het begin van de oorlog werden vliegtuigen alleen gebruikt
voor verkenning van het door vijanden gedomineerde terrein.
Behalve van de gebrekkige techniek van hun toestellen hadden
de piloten en waarnemers niet veel te vrezen. Aanvankelijk werd
door de tegenstanders zelfs vriendelijk naar elkaar gezwaaid, maar
al snel werd met handvuurwapens op elkaar geschoten. Erg effec-
tief waren de afgevuurde schoten uit pistolen of geweren niet en
bovendien hadden de piloten hun handen al vol aan het in de
lucht houden van hun instabiele kisten. Eind 1914 werd dan ook
een voorzichtig begin gemaakt met het vast inbouwen van een
mitrailleur. Aanvankelijk met weinig succes. De zware mitrailleurs
hadden zo'n negatieve invloed op de snelheid van het toestel, dat
onbewapende tegenstanders meestal gemakkelijk konden ontkomen. Een wapenwedloop kwam op gang.

Nieuwe types vliegtuigen verschenen in 1915, toestellen die voor
het eerst waren ontworpen als gevechtsvliegtuig. Probleem bleef
dat niet recht vooruit kon worden geschoten omdat de kogels
dan de propeller zouden versplinteren.

De Franse vlieger Roland Garros bedacht een systeem van stalen
plaatjes op het propellerblad waarop de mitrailleurkogels moesten
afketsen. Na vijf Duitse vliegtuigen te hebben neergeschoten
moest Garros een noodlanding maken achter de Duitse linies: een
propellerblad was afgebroken.

De Nederlander Anthony Fokker zorgde voor een oplossing. De
voor de Duitsers werkende vliegtuigbouwer bedacht een systeem
waarbij de mitrailleur geen kogel kon afvuren op het moment dat
een propellerblad voor de loop van het wapen kwam: de syn-

chronisator. Het bleek een dodelijk succes. Duitse vliegtuigen, met Fokkers vinding uitgerust, hadden lange tijd een absoluut overwicht in de lucht. Ze waagden zich niet boven vijandelijk gebied uit angst neer te storten of een noodlanding te moeten maken waardoor hun geheime vinding in handen van de vijand zou komen.

Noodgedwongen veranderden de geallieerden van tactiek. Ze zochten hun heil in het veranderen van hun organisatie en het in gebruik nemen van nieuwe, betere toestellen. Squadrons werden gevormd en de Franse en Britse vliegers gingen in formatie vliegen, zodat ze tijdens gevechten altijd getalsmatig in de meerderheid waren. Langzaam ontstond er weer een evenwicht dat zelfs overging in een geallieerd overwicht. Tijdens de slag aan de Somme waren de Fransen en Britten heer en meester in het luchtruim boven het gevechtsgebied.

De Duitsers leerden van hun fouten en organiseerden Jagdstaffeln, onafhankelijk opererende groepen gevechtsvliegtuigen, en trokken het initiatief weer naar zich toe. Het nieuwe Duitse luchtoverwicht beleefde zijn hoogtepunt in april 1917. In deze maand leden de Britse vliegers zoveel verliezen, dat de maand de geschiedenis in zou gaan als 'Bloody April'. Toen een paar maanden later nieuwe Britse vliegtuigen hun intrede deden boven de slagvelden en de geallieerden hun eigen synchronisatiesysteem in gebruik namen, ontstond er wederom een evenwicht, ditmaal tot het einde van de oorlog.

Een van de Britse gevechtsvliegers was majoor Robert Loraine. In 1914 was hij een bekend acteur en toen de oorlog uitbrak gaf hij zich op als vrijwilliger. Nadat hij in december 1914 als waarnemer gewond was geraakt, werd hij vlieger, om uiteindelijk in mei 1918 commandant van het 211ste Squadron Dagbommenwerpers te worden. Op 20 juli 1918 werd hij tijdens een luchtgevecht door zijn knieschijf geschoten. Deze verwonding betekende het einde van de oorlog voor hem.

Al lang voor de oorlog was Loraine bevriend geraakt met George

Winter 1917, Frans vliegtuig maakt noodlanding bij Bergen op Zoom

Henry Smart. Kapitein Smart was een voormalig beroepsmilitair die voor zijn eervolle ontslag in 1909 jarenlang in Zuid-Afrika had gediend. Na het uitbreken van de vijandelijkheden besloot hij om op zijn eenendertigste opnieuw dienst te nemen bij de Royal North Lancashires. Smart sneuvelde op 22 december 1914.

De band tussen de beide mannen was heel sterk en overwon zelfs de dood, zoals we in de door de weduwe van Robert Loraine geschreven biografie, op bladzijde 237 en bladzijde 241, kunnen lezen: 'In de morgen als hij (= Loraine) wakker werd en de kleine rode kachel zachtjes had gebrand, kon hij als hij opkeek Smart zien zitten op de schaars verlichte divan bij de deur, lezend en aantekeningen makend zoals hij dat ook had gedaan in Roberts theaterkleedkamer; dan hield Robert zich stil uit angst hem te storen. Hij wilde niet dat Smart zou gaan, hij zat en keek naar hem.'

'Smart, die hem toen hij nog leefde vaak de weg had gewezen, gidste hem nog steeds hoewel hij dood was. Robert hield altijd

vol dat Smart hem tijdens zijn laatste twee maanden van zijn
diensttijd in Frankrijk had geleid… en wie weet? Zijn tactiek
werd bepaald door Smart die zich pal voor de propeller
bewoog.'[60]

Robert Loraine stierf op 23 december 1935. Hij was drager van
het Military Cross en de Distinguished Service Order.
Het graf van George H. Smart is onbekend, maar de man wordt
herdacht op het Le Touret-gedenkteken in Pas de Calais,
Frankrijk.

In het door Karl Westerhausen geschreven boekje *Zwischen
Kurland und Galizien, Kriegserlebnisse eines Infanteristen von 1914-
1917* wordt de vreemde droom van Puttkamer beschreven. De
Duitser Puttkamer vocht net zoals Loraine tijdens de oorlog als
gevechtsvlieger. Lang voordat hij tragisch zou sterven voorzag
Puttkamer deze gebeurtenis in een droom die hij vertelde aan
Westerhausen, een Duitse soldaat die een dagboek bijhield:

'Maart 1915, nabij Stolniki.
De compagniescommandant liet me roepen. "We gaan op ver-
kenningspatrouille naar het linker aangrenzende regiment. U
kunt enige schetsen maken." De patrouille bestond uit een wandeling door het dichte kreupelhout; we bevonden ons achter het
front en de Russen hielden zich stil. De zon scheen al warm.
Vogels zongen en de eerste vlinders vlogen boven het dorre gras.
We rustten onder een berk uit, rookten en kletsten over het
leven.
"Wat zou u zich wensen," vroeg de luitenant aan me, "als wensen
uitkwamen?"
"Het einde van de oorlog – en mooi weer!"
"Ik ook! Ik ben zo moe. We hebben alle tijd en hier kan geen
alarm of majoor ons storen. Laten we een kwartiertje slapen. Wie
als eerste wakker is maakt de andere wakker."
De luitenant maakte me wakker en zei: "Als ik sneuvel en u bent

bij me in de buurt, neem dan mijn zegelring af en stuur hem naar mijn moeder. Mijn vader is ook in dienst. En mocht de ring niet makkelijk van mijn vinger gaan, snijd dan gerust mijn vinger er af. Dezelfde ring werd al tijdens de Zevenjarige Oorlog door een Puttkamer gedragen."

"Meneer de luitenant, hoe komt het dat u uitgerekend hier, waar alles zo rustig en stil is, zulke gedachten hebt?"

"De droom die ik zonet had wekte me. Ik was verwond en voelde dat ik zou sterven. Ik zag mezelf op de grond liggen maar toch had ik het gevoel alsof ik met hoge snelheid uit de lucht kwam vallen. Ik was al dood maar toch voelde ik hoe mijn lichaam insloeg, alles kraakte en versplinterde om me heen en ik zag hoe een felle vlam zich omhoogslingerde…"

Pas jaren later begreep ik de droom.

April 1917, nabij Mikolajow.

"Heb jij nog wel eens wat over Puttkamer gehoord?" vroeg ik de kameraad met wie ik vroeger in het 7de had gediend.

"Die is al lang gesneuveld! Bij Ieper is hij door de Engelsen afgeschoten. Zijn vliegmachine is brandend achter de vijandelijke linies neergestort."

Ik herinnerde me zijn droom die hij toen, in maart 1915, in de buurt van Stolniki verteld had…'[61]

In 1907 schreef H.G. Wells (1866-1946) zijn boek *The War in the Air*. Het was een tijd waarin de techniek van de zeppelin nog in de kinderschoenen stond en twee jaar voordat Blériot zijn luchtsprongetje over het Kanaal maakte.

In het boek vertelt Wells hoe Duitsland de wereld meesleept in een wereldomvattend conflict. Het land raakt in oorlog met de Verenigde Staten, Groot-Brittannië, Frankrijk, Italië en later ook met de zogenaamde Aziatische Alliantie. Tot zover konden de lezers het in die tijd nog goed volgen. Maar toen H.G. Wells de bombardementen vanuit luchtschepen met namen als Vaterland, Hohenzollern en Zeppelin beschreef die Londen en New York in as legden, begonnen de wenkbrauwen te fronsen en ging het de lezers allemaal te ver. 'Drachenfliegers' (gevechtsvliegtuigen) zwaarder dan lucht die bestuurbare ballonnen te lijf gingen? Het idee alleen al! Dat Duitsland wilde heersen over land en zee was voorspelbaar, maar wat had je aan het beheersen van het luchtruim? Tijdens de Eerste Wereldoorlog echter voerden luchtschepen inderdaad bombardementen uit op Londen. De schade die deze bombardementen aanrichtten stonden in geen enkele verhouding tot het psychologische effect dat ze hadden op de burgerbevolking. Door middel van luchtafweergeschut en het laten uitvoeren van aanvallen door vliegtuigen op de luchtschepen werd geprobeerd de 'zeppelins' een halt toe te roepen.

Het boek *The War in the Air* was niet zozeer bedoeld als een toekomstvoorspelling, maar was geschreven als een soort sciencefictionboek. Wells verzette zich hevig als iemand reden vond hem als een ziener te profileren. Nu, ruim tachtig jaar na het einde van de Eerste Wereldoorlog, is het vermakelijk te weten dat Wells door vrijwel iedere tijdgenoot als een fantast werd beschouwd, een fantast die last had van een totaal op hol geslagen geest. Maar slechts enkele jaren na het verschijnen van zijn boek zou duidelijk worden dat de komst van militaire luchtschepen en vliegtuigen het karakter van de oorlogvoering totaal zou veranderen. Wie wil weten hoe de vliegtuigen, en met name de luchtschepen, er tijdens de oorlog van '14-'18 uitzagen, vindt een behoorlijk nauwkeurige beschrijving in het boek van Wells. Door de gedetailleerdheid en het introduceren van enkele nieuwe begrippen zoals wereldoorlog, gevechten tussen vliegtuigen en bombardementen vanuit de lucht, kreeg het boek iets profetisch.[62]

HOOFDSTUK 21

1916, Verdun en de Somme

In hun poging de oorlog alsnog een voor hen positieve wending te geven besloten de Duitsers bij Verdun aan te vallen. Verdun was voor de Fransen belangrijk als symbool en ze zouden de stad zonder enige twijfel tot de laatste man blijven verdedigen. De Duitse opperbevelhebber Von Falkenhayn had niet eens de bedoeling de stad in te nemen: door druk op de Noord-Franse stad uit te oefenen zouden zijn in enorme aantallen aanwezige kanonnen de te hulp gesnelde Franse soldaten kunnen vermalen. Hij wilde het Franse volk bij Verdun laten doodbloeden! Verdun was voor hem 'de Molen aan de Maas'. De koele militaire analyticus had berekend dat voor elke Duitser die zou sneuvelen twee à drie Fransen het tijdelijke voor het eeuwige zouden verwisselen.

Voor de inleidende beschieting waren zo'n twaalfhonderdvijftig vuurmonden en een groot aantal mijnenwerpers samengebracht. Ze schoten op 21 februari 1916 maar liefst 1.234.000 granaten af op een gebied van nog geen vijftien kilometer breed en vier kilometer diep. De regio Verdun was veranderd in een inferno, de Hel van Dante. Ruim negen uur hield het trommelvuur aan. Gestadig veranderde het gebied in iets wat nog het meest leek op een maanlandschap. Toen de Duitse infanteristen in de aanval gingen, werden de eerste Franse linies zonder veel tegenstand ingenomen. Maar nadat de Duitsers verder oprukten bleek dat overle-

vende Franse poilu's die tevoorschijn kwamen uit holen, granaattrechters en spleten fel tegenstand boden.

De volgende dag begon met een beschieting die vergelijkbaar
was met de beschieting die een dag eerder had plaatsgevonden.
Vooral de plaatsen waarvan bekend was dat er zich nog Franse
verzetshaarden bevonden werden onder zeer zwaar vuur gelegd.
Wederom lukte het de Duitsers niet hun verwachte terreinwinst
te behalen.

Aan Franse kant had de paniek toegeslagen. Verbindingen waren
verbroken en van enige militaire samenhang was bij Verdun geen
sprake meer. Niemand wist precies waar de eigen of de vijandelijke troepen zich bevonden. Besloten werd om de verdedigings-
specialist generaal Pétain als bevelhebber van de regio aan te stellen. Het duurde enige tijd voordat de toen 59-jarige generaal was
gevonden. De man had andere dan militaire plannen aan zijn
hoofd en werd samen met een dame, die het beroepshalve niet zo
nauw nam met haar kuisheid, aangetroffen in een hotel te Parijs.
Nadat hem de boodschap was overhandigd besloot de generaal af
te maken waarmee hij bezig was alvorens de verdediging van
Verdun ter hand te nemen. Hij keerde weer terug naar zijn
warme, goedgevulde bed om pas de volgende morgen te vertrekken.

Na zijn aankomst aan het front begon Pétain orde op zaken te
stellen. Hij verdeelde de frontlijn in vier sectoren die elk hun
eigen bevelsstructuur kregen. De enige weg waarover voorraden
naar het front konden worden gebracht was de weg die liep van
Bar-le-Duc naar Verdun. Alleen legervoertuigen mochten van de
weg gebruikmaken. Ten koste van alles moest worden voorkomen dat deze weg zou dichtslibben. Vrachtwagens die door pech
uitvielen werden van de weg geduwd om andere auto's niet op
te houden. Elke veertien seconden passeerde, in beide richtingen,
een vrachtwagen. Duizenden arbeiders, waaronder veel oude
reservisten die niet meer geschikt waren voor frontdienst, waren
aan het werk om de weg begaanbaar te houden door steenslag
onder de massieve banden van de camions te gooien. Twee mil-

joen mannen werden onderweg naar hun slachtbank over de weg vervoerd, meer dan een miljoen ton munitie en ander oorlogs-materieel kwam via de weg in Verdun aan. Het is dan ook niet voor niets dat deze weg nog steeds La Voie Sacrée wordt genoemd, de Heilige Weg. Als door een wonder lukte het de Fransen de weg open te houden, zelden in de geschiedenis was een leger zo afhankelijk van één aanvoerroute.

Het lukte de Duitsers enkele kilometers op te rukken, maar ten koste van absurde verliescijfers. Dorpen werden verpulverd om nooit meer te worden opgebouwd, om elke steen werd gevoch-ten. De zomer van 1916 was uitzonderlijk warm en droog. Er was zo'n schrijnend tekort aan drinkwater, dat sommige mannen hun eigen urine dronken, anderen dronken uit granaattrechters waar de lijken in dreven. De doden onder de grond stoppen zou slechts nieuwe doden tot gevolg hebben. Eenmaal begraven doden kwamen vaak weer bij een volgende granaatbeschieting boven de grond. De ellende was onbeschrijflijk. In de herfst van 1916 hadden de Fransen zich voldoende hergegroepeerd om in de tegenaanval te gaan. Ten koste van duizenden levens werden de paar kilometer door de Duitsers veroverde grond weer her-overd. In december waren de strijdende partijen ongeveer terug op hun uitgangspunt, de slag bij Verdun was ten einde. De grond van het slagveld was enorm vervuild door de neerslag van strijd-gas, munitie, rook van de kanonnen, bloed en andere resten van oorlogvoering. Bovendien was de vruchtbare humuslaag volko-men weggeslagen, waardoor de onvruchtbare ondergrond boven was gekomen zodat er decennialang bijna niets meer wilde groei-en. Totale verliescijfers: 700.000 mannen. Elk had een vader, een moeder en wellicht een vrouw, verloofde en kinderen…
De slag bij Verdun was een Frans-Duitse strijd. Bij de rivier de Somme ontvlamde op 1 juli 1916 de strijd van de Britten, gehol-pen door de Fransen, tegen de Duitsers. Alleen al op de eerste dag van de slag aan de Somme verloren de Britten 60.000 man: 20.000 doden en 40.000 gewonden. Peloton na peloton werd de

dood ingejaagd. De soldaten die de loopgraven verlieten, kwamen op de meeste plaatsen niet veel verder dan enkele meters, de Duitsers met hun mitrailleurs schoten rij na rij af als waren het konijnen. Op sommige punten was het zelfs onmogelijk 'over the top' te gaan, de lijken van voorgangers belemmerden het verlaten van de loopgraaf zodat elders een weg naar de dood moest worden gezocht. Plaatselijk werd een paar meter terrein veroverd, de Britse opperbevelhebber generaal Haig sprak over een succesvolle eerste aanvalsdag…

Ook Raymond Asquith, luitenant bij het Derde Bataljon van de Grenadier Guards, liet het leven in de buurt van de Somme. De zoon van de eerste minister van het Verenigd Koninkrijk, Herbert Henry Asquith, stierf op 15 september 1916 en werd zevenendertig jaar. Twee dagen na het overlijden werd zijn moeder telefonisch op de hoogte gebracht. Met betraand gezicht zocht ze haar man op en toen ze hem zag stamelde ze: 'Ik heb vreselijk nieuws.' Herbert Asquith onderbrak haar en zei: 'Ik weet het, ik wist het al, Raymond is dood.' Niemand echter had premier Asquith op de hoogte gebracht van het sneuvelen van zijn zoon, hij had het voorvoeld.[63]
Raymond Asquith ligt begraven op het Guillemont Road Cemetery in Guillemont, twaalf kilometer ten oosten van Albert, bij de Somme in Frankrijk.

HOOFDSTUK 22

De Mariaverschijningen in Fatima

In 1916 verscheen een engel aan drie kinderen in de buurt van het dorpje Fatima in Portugal. De kinderen waren zes, acht en negen jaar oud. De oudste, Lucia dos Santos, had haar eerste communie al gedaan en kreeg een hostie op haar tong. De andere twee, Francisco en Jacinta Marto, mochten uit een kelk drinken. De engel sprak: 'Neem het lichaam en het bloed van Jezus Christus die verschrikkelijk is beledigd door ondankbare mensen. Herstel de door hun misdaden aangerichte schade en troost uw God.' De engel zou in hetzelfde jaar nog twee keer aan de kinderen verschijnen.

Een jaar later, op 13 mei 1917, waren dezelfde kinderen hun kudde schapen aan het hoeden. Nadat ze hun rozenhoedje hadden opgezegd waren ze wat aan het spelen toen plotseling een heldere lichtflits de lucht doorkliefde. De kinderen werden bang, het was een zonnige dag en er was geen wolkje te zien, dus hoe was het mogelijk dat het bliksemde? Ze besloten hun schapen bijeen te drijven en naar huis te gaan. Even later was er weer een lichtflits. Toen ze in de richting van het schijnsel keken zagen ze een vrouw boven een holle eik staan. Ze was geheel in het wit gekleed en ze verspreidde een helder licht. Haar handen hield ze tegen elkaar, alsof ze ging bidden, en over haar rechterarm hing een snoer van witte kralen dat eindigde in een zilveren kruis. De vrouw was blootsvoets en haar voeten raakten een wolkje dat boven de boom hing. 'Wees niet bang,' sprak de vrouw met een lieve stem, 'ik zal jullie geen kwaad doen.' Lucia raapte al haar moed bij elkaar en vroeg: 'Waar komt u vandaan mevrouw?' De vrouw vertelde dat ze uit de hemel kwam. 'Wat wilt u van me?' vroeg Lucia.

'Ik vraag je me hier de eerstkomende zes maanden te ontmoeten op hetzelfde tijdstip en op de dertiende van de maand. In oktober zal ik je vertellen wie ik ben en wat ik wil.' De vrouw in het wit vroeg vervolgens of de kinderen bereid waren zich op te offeren aan God en of ze al het leed dat Hij hun zou sturen wilden doorstaan. Het moest een daad worden waardoor de zonden die Hem zo hadden beledigd weer goed konden worden gemaakt en zondigen konden worden bekeerd. Nadat Lucia hierop bevestigend had geantwoord, zei de vrouw dat ze dan moesten lijden maar dat ze voldoende kracht zouden ontvangen om de beproevingen te kunnen doorstaan. Ze opende haar handen om vanuit elke hand een licht op de kinderen te laten schijnen. Deze lieten zich op hun knieën vallen en begonnen te bidden. Voordat de vrouw verdween gaf ze Lucia, Francisco en Jacinta de strikte opdracht iedere dag trouw hun rozenkrans te bidden, het zou het einde van de oorlog bespoedigen en vrede over de wereld brengen.

Tijdens de verschijning van 13 mei en de volgende verschijningen was Lucia de enige van de drie kinderen die met de Heilige Maagd sprak. Francisco zag haar wel maar kon haar niet horen, Jacinta hoorde en zag Maria maar sprak geen woord tot haar.

Maria had de kinderen op 13 mei 1917 gevraagd zichzelf te beproeven, een opdracht waar de kinderen graag aan tegemoetkwamen. Ze gaven hun eten aan kinderen die het armer hadden dan zij; zelf aten ze eikels en onrijpe olijven. De kinderen, zich ervan bewust dat ze zouden moeten lijden, begonnen ruwe stof onder hun kleding te dragen zodat ze de hele dag ondraaglijke jeuk hadden en hun huid openschuurde. Dagelijks werden nieuwe bezoekingen verzonnen om aan het verzoek van de vrouw in het wit te kunnen voldoen.

Iedere volgende maand verscheen de vrouw in het wit opnieuw

aan de kinderen. Op 13 juni droeg ze Lucia op te leren lezen en door te blijven gaan met het bidden van de rozenkrans. Op de vraag van Lucia wanneer ze in de hemel zou worden opgenomen, antwoordde de vrouw: 'Ik zal Jacinta en Francisco snel tot me nemen. Jij zult langer hier beneden blijven. Jezus wil jou gebruiken om mij bekender en geliefder te maken. Hij wil de aanbidding van mijn Onbevlekte Hart op de wereld tot stand brengen. Ik beloof verlossing aan degenen die me omhelzen en hun zielen zullen door God gered worden. Mijn kind, je lijdt erg maar wees niet teleurgesteld. Ik zal je niet verlaten. Mijn Onbevlekte Hart zal je toevluchtsoord zijn en de weg die zal leiden tot God.' Opnieuw spreidde ze haar handen en vanuit de palmen kwam een licht dat de kinderen bescheen. Een hart ingekapseld door doornen verscheen bij haar rechterarm.

Het nieuws van de verschijning had de ronde gedaan en op 13 juli verzamelden duizenden mensen zich bij de holle eik. De menigte zag hoe plotseling het zonlicht minder fel scheen en hoe een wolkje boven de eik verscheen. Net zoals de vorige keer vroeg de vrouw aan de kinderen door te gaan met het bidden van de rozenkrans. 'Doe het met de bedoeling een eind aan de oorlog te bewerkstelligen. Alleen door de tussenkomst van de Heilige Maagd kan deze zegen voor de mensheid bereikt worden. Blijf hier iedere maand komen. In oktober zal ik een wonder verrichten zodat iedereen zal moeten geloven in mijn verschijning aan jou. Blijf je opofferen voor de zondigen en als je het zwaar hebt, zeg dan: "Oh Jezus, het is voor Uw liefde, voor de bekering van de zondaars en voor het herstel van de zonden begaan tegen het Onbevlekte Hart van Maria."'
Net zoals ze tijdens haar eerdere verschijningen had gedaan spreidde de vrouw haar handen, maar nu leek het licht de aarde te doorboren. De kinderen zagen een vuurzee. Later zou Lucia erover zeggen dat ze in die zee van vuur demonen en menselijke zielen zag branden die het uitgilden van pijn en wanhoop. De vrouw in het wit zei over dit visioen: 'Ik heb jullie de hel laten

zien waar de zielen van de zondaars terechtkomen. Om hen te redden wil de Heer bereiken dat het Onbevlekte Hart overal ter wereld aanbeden wordt. Als de mensen doen wat ik je vertel, zullen vele zielen gered worden en zal de vrede op aarde komen. De oorlog zal eindigen, maar als het beledigen van God doorgaat zal binnen enkele decennia een nog verschrikkelijker oorlog beginnen. Als jullie de nacht verlicht zien worden door een onbekend licht, weet dan dat dit het teken is dat God de wereld zal straffen door middel van oorlog, honger en vervolging van de Kerk. Om dit te voorkomen zal ik terugkomen om te vragen Rusland te wijden aan mijn Heilige Hart. Als mijn verzoek ingewilligd wordt, zal Rusland bekeerd worden en zal er vrede zijn. Zo niet, dan zal ze haar fouten over de wereld storten, oorlogen uitlokken en de Kerken vervolgen. Het goede zal dan een marteling ondergaan; de Heilige Vader zal eronder lijden en verschillende landen zullen worden vernietigd. Maar aan het eind zal mijn Heilige Hart overwinnen. De Heilige Vader zal voor mij Rusland zegenen. Het land zal bekeerd worden en de wereld zal een zekere periode van vrede gegund worden. Portugal zal zich altijd aan de leer van het geloof houden.'

Maria vertelde de kinderen deze woorden voorlopig geheim te houden en vertelde naar verluidt nog een ander geheim waarvan de inhoud nog steeds onbekend is. Lucia heeft dit tweede geheim opgeschreven en afgegeven bij de bisschop van Leira.

De pastoor van het dorp waar de kinderen woonden dacht dat de duivel achter de verschijningen zat en op last van de autoriteiten werden de kinderen op 13 augustus 1917 zelfs in de gevangenis van Ourem gezet, zodat ze de verschijning van die maand niet zouden kunnen bijwonen. De kinderen werden zelfs bedreigd: ze zouden in hete olie worden gekookt als ze niet op hun verhaal over de verschijning van Maria zouden terugkomen. De kinderen waren doodsbang, maar bleven bij hun verklaring.

Onwetend dat de kinderen waren opgesloten had zich op 13 augustus een menigte verzameld bij de holle eik om getuige te zijn van de verschijning van Maria.

Tegen de middag was er een enorme donderslag te horen, meteen gevolgd door een bliksemflits. Iedereen zag hoe een kleine heldere wolk zich boven de eik vormde. Deze bleef daar even hangen om vervolgens op te stijgen en uit het zicht te verdwijnen. Ervoor in de plaats kwam een gloed die ieders gezicht deed gloeien in alle mogelijke kleuren. De bomen leken geen bladeren meer te hebben, maar waren bedekt met bloemen. De aarde verdeelde zich in gekleurde vlakken en zelfs de kleren van de bezoekers kregen de mooiste kleuren. Nadat de verschijnselen waren verdwenen had iedere aanwezige het gevoel dat Maria zeer teleurgesteld moest zijn omdat de kinderen niet waren verschenen.

Zes dagen later verscheen de Heilige Maagd toch aan Lucia, Francisco en Jacinta. Weer herhaalde ze dat de kinderen hun rozenkrans moesten blijven bidden en herhaalde ze haar belofte een wonder te zullen verrichten. 'Bid, bid veel en offer je op voor de zondaars, want veel zielen gaan naar de hel omdat ze niemand hebben die zich voor ze opoffert en voor ze bidt.'

Een maand later, op 13 september, zagen veel van de toeschouwers hoe een lichtgevende bol door de lucht vloog om boven de eik te blijven hangen. Enige tijd later steeg deze op en verdween in de richting van de zon. Monseigneur John Quaresma was een van de vele ooggetuigen die dit fenomeen waarnamen en zei erover: 'De drie herdertjes zien de Moeder van God zelve, wij hebben de genade gekregen de koets te zien waarmee ze van de hemel naar de onvruchtbare en onherbergzame heuvels van Aire kwam.' Velen zagen ook witte bloemen die uit de hemel vielen, maar die verdwenen nog voordat ze de grond raakten.

Weer zei Maria tot de kinderen dat ze door moesten gaan met het bidden van de rozenkrans om de oorlog te helpen beëindigen, God was tevreden met de opofferingen die de kinderen zich getroostten.

De belofte die Maria aan de herderskinderen had gedaan om in oktober een wonder te verrichten was als een lopend vuurtje door Portugal gegaan. Al dagen vóór 13 oktober raakten de wegen naar Fatima verstopt door de toestroom van mensen die te voet, per paard en wagen en per auto de heuvel met de holle eik probeerden te bereiken. Duizenden pelgrims waren onderweg en de dorpen in de buurt raakten uitgestorven. Lucia, Francisco en Jacinta werden door hun ouders en anderen onder grote druk gezet op hun verklaringen terug te komen, maar de kinderen bleven rustig. Ze vertrouwden op het door Maria gegeven woord.

Op 13 oktober hadden meer dan zeventigduizend gelovigen zich vol verwachting verzameld. Gebeden en psalmen werden aangeheven en velen zegden de rozenkrans op. Zoals gewoonlijk kondigde het bezoek van Maria zich aan door middel van een lichtflits.

'Wie bent u en wat wilt u van me,' vroeg Lucia. 'Ik ben de Vrouw van de Rozenkrans en ik wens dat op deze plek een kapel zal worden gebouwd tot mijn eer. De mensen moeten elke dag de rozenkrans blijven bidden. De oorlog zal snel eindigen en de soldaten zullen naar hun huizen terug kunnen keren. De mensen moeten stoppen met het beledigen van hun God en ze moeten vergeving voor hun zonden vragen want Hij is reeds te veel beledigd.' Nog eenmaal scheen vanaf de handen van Maria een helder licht, ditmaal in de richting van de zon.

Even later vervaagde Maria om vervolgens te verdwijnen. Ervoor in de plaats kwam hoog in de lucht een verschijning van de Heilige Familie die alleen Lucia kon zien; Jozef hield het kindje Jezus op zijn arm en naast hem stond Maria gekleed in blauw en wit. Jezus maakte drie keer het kruisteken. Ook dit visioen verdween. Nu verscheen Jezus in zijn gedaante van Verlosser. Hij zegende de wereld, en Maria, die naast hem stond, was nu in het paars gekleed. Nadat ook dit beeld vervaagd was verscheen Maria nogmaals, gekleed in de bruine kleding van Onze-Vrouwe-Karmelietes.

Het beloofde wonder had Maria niet vergeten. Duizenden toeschouwers zagen hoe de wolken opzijschoven om plaats te
maken voor de zon. Deze leek nog het meest op een fosforesce-
rende schijf. Iedereen bleek in staat om er recht naar te kijken
zonder verblind te worden. Opeens begon de zon te tollen en er
schoten stralen vanaf in de mooiste kleuren. Voor iedere aanwezige was het een manifestatie van Gods kracht en de mensen
stonden als aan de grond genageld. Plotseling leek het alsof de
zon naar beneden kwam om de aarde in zijn val te verpletteren.
Gebeden werden aangeheven en net voordat de aarde zou worden geraakt, klom de zon weer naar zijn normale positie. Vrijwel
iedereen was het erover eens dat voor hun ogen iets uitzonder-
lijks en van buitengewone schoonheid had plaatsgevonden.[8]
Zelfs als het te verklaren was als zijnde een bijzonder natuurver-
schijnsel, dan nog is het onverklaarbaar hoe het kon dat Lucia dos
Santos het drie maanden van tevoren al aankondigde.
Tijdenlang bleven de kranten over het Mirakel van Fatima schrijven. De soldaten in de loopgraven putten er hoop en kracht uit.
Ze lazen en herlazen verslagen van de wonderlijke gebeurtenissen in Fatima. De katholieke Kerk liet haar aanvankelijke scepsis
varen en verklaarde, na een diepgaand onderzoek, de verschijning
van Maria als echt en onvervalst. Het lijkt er zelfs op dat de dertiende van de maand voor deze Kerk een speciale betekenis heeft
gekregen.
Twee pausen uit de twintigste eeuw droegen hun ambtsperiode
op aan Maria, Pius XII en Johannes-Paulus II. Veel belangrijke
gebeurtenissen uit het leven van deze kerkvaders deden zich voor
op de dertiende van een maand. Op dertien mei 1917 bijvoorbeeld, tijdens de verschijning van Maria in Fatima, werd Eugenio
Pacelli, de toekomstige paus Pius XII, tot bisschop gewijd door
paus Benedict XV. Zijn begrafenis vond plaats op 13 oktober
1958, op de veertigste verjaardag van de laatste verschijning van
Maria in Fatima. De huidige paus, Johannes-Paulus II, werd op 13
mei 1981 tijdens een aanslag beschoten. Zelf zei hij erover: 'Het
is een mysterieus toeval dat het samenviel met de verjaardag van

de eerste verschijning.' Als dank voor zijn redding liet hij de twee kogels die uit zijn lichaam werden verwijderd in de kroon van het standbeeld voor Maria in Fatima plaatsen.

Lucia dos Santos trad toe tot de besloten contemplatieve kloosterorde der karmelieten.

HOOFDSTUK 23

Het Russische front in 1916

Nieuwjaarsdag 1916, om precies 24.00 uur, begonnen de Russische kanonnen ten oosten van Tsernowtsy aan een wat verlaat maar enorm vuurwerk. Zesendertig uur lang dreunden deze kanonnen in staccato. Het trommelvuur was het begin van wat de Russen de Nieuwjaarsslag noemden. Pas toen de Russische infanterie in de aanval ging, beantwoordden de Oostenrijks-Hongaarse en Duitse kanonnen de beschieting. Het effect was verschrikkelijk: de voorste rijen oprukkende Russen werden door de granaten van de Centralen vermalen, terwijl de daaropvolgende rijen slachtoffer werden van hun eigen artillerievuur. De gevechten gingen door tot de vroege morgen van 5 januari. Toen pas zag de Russische bevelhebber Iwanoff in dat verder vechten geen zin had. De Russen verloren 70.000 man aan doden en gewonden, 6000 werden door de Duitsers en Oostenrijkers krijgsgevangen gemaakt.

Op 29 januari ging de Russische infanterie, na een inleidende beschieting van een dag, opnieuw in de aanval. En weer liep het offensief stuk op goed gecoördineerd vijandelijk vuur. Een paar dagen strijd leverde Iwanoff 20.000 nieuwe doden en gewonden op, 1000 man verdwenen als krijgsgevangenen westwaarts. Op 18 maart 1916 probeerden de Russen Polen en Litouwen op de Duitsers te heroveren. Pas toen het Russische verliescijfer tot 140.000 was opgelopen, na tien dagen van hevige strijd, gaven ze hun poging op.

De Russen konden zich bedienen van een bijna onuitputtelijk reservoir van manschappen. Ten koste van verliezen die een veelvoud waren van de verliezen van hun tegenstander, lukte het de Russen de Oostenrijks-Hongaarse troepen in het zuidwesten van het front honderdtwintig kilometer terug te dringen. Het verlies van de dubbelmonarchie alleen al was 614.000 man…

Ook de laatste vier maanden van 1916 bleven de Russen ten koste van absurde verliezen aanvallen, maar nergens slaagden ze erin meer dan wat kleine verschuivingen van het front tot stand te brengen. Wel was het zo dat Duitsland door de Russische offensieven gedwongen werd een behoorlijke troepenmacht aan het oostfront te blijven stationeren, troepen die in 1916 ook hard nodig waren bij Verdun en aan de Somme.

Hoewel de geallieerden in 1916 al enige tijd scheepsladingen wapens, munitie en ander oorlogsmaterieel naar Rusland stuurden, was de Britse legerleiding niet erg te spreken over de samenwerking met de Russen tot nu toe. Bovendien was het hen een doorn in het oog dat veel van de geleverde goederen op de kades van de havens bleven staan omdat de Russische spoorwegen niet in staat waren de spullen naar het front te transporteren.

De Britse minister van oorlog lord Kitchener besloot in juni 1916 om per schip voor overleg naar de Russische haven Archangelsk te reizen. Hij wilde proberen een betere coördinatie op gang te brengen en wilde bovendien de Russen een hart onder de riem steken in hun strijd tegen de Centralen. Op 5 juni stapte hij aan boord van de pantserkruiser H.M.S. Hampshire. Enkele uren later liep het schip op een Duitse mijn, helde over naar stuurboord en zonk naar de bodem van de oceaan. Het lichaam van Kitchener is nooit gevonden.

De handlijnkundige Cheiro – zijn eigenlijke naam was count Louis Hamon – rekende onder anderen koning Edward VII, Mark Twain en Mata Hari tot zijn klantenkring. Ook generaal Horatio Herbert Kitchener liet zich in 1894 door hem de hand

Lord Kitchener te paard

lezen. Cheiro voorspelde generaal Kitchener een glansrijke carrière, beroemdheid en rijkdom.

De loopbaan van Kitchener verliep inderdaad voorspoedig; in 1894 werd hij 'Held van Khartoum' en tijdens de Boerenoorlog vergaarde hij roem. Nadat de Eerste Wereldoorlog was uitgebroken wilde Kitchener net van zijn vergaarde fortuin gaan genieten, toen hij werd geroepen om minister van oorlog te worden. Cheiro had Horatio Kitchener echter ook een duidelijke waarschuwing meegegeven: op zijn zesenzestigste, in 1916, mocht hij niet overzee reizen. Het leven van Kitchener zou dan ernstig gevaar lopen...[18]

In het *Dagblad van Noord-Brabant* verscheen op 17 juni 1916 het volgende artikel:

'EEN VOORGEVOEL!

De *Manchester Guardian* zegt een merkwaardige mededeling te kunnen doen over Lord Kitchener, welke geenszins onaangenaam voor zijn nagedachtenis is bedoeld. Het is, dat hij een soort voorgevoel had van het ongeluk op zee. Dit was zoo sterk, dat hij zelfs nooit tusschen Dover en Calais reisde zonder een zwemvest aan te doen, dat hij speciaal in Egypte had laten maken, voordat hij zijn beroemden marsch op Khartoum begon.

Hoewel hij zoo vaak op zee was en een zeereis uitstekend verdroeg, haatte hij zeereizen en voelde hij zich nooit thuis aan boord. Hij klaagde er steeds over dat de zee slecht werkte op zijn overigens uitstekend gezichtsvermogen.'

David Lloyd George, een geslepen Brits politicus, liet geen traan over de dood van Kitchener. Al in 1915 had hij stevig met de populaire minister van oorlog in de clinch gelegen. Lloyd George beschuldigde Kitchener ervan de oorzaak te zijn van de ontoereikende aantallen granaten die Britse artilleristen tot hun beschikking hadden. Zijn aanval leidde tot een directe confrontatie met premier Asquith. Ten gevolge van een politieke crisis in december 1916 lukte het Lloyd George om Asquith aan de kant te zetten en diens functie als premier over te nemen. Lloyd George nam de touwtjes stevig in handen en hij kreeg zelfs het doen en laten van de eigenzinnige aanvoerders van het leger redelijk onder controle. Dit tot ongenoegen van ijzervreter generaal Douglas Haig, opperbevelhebber van de Britse troepen in het westen, en de invloedrijke generaal William Robertson, chef van de generale staf. Aan het eind van 1917 slaagde David Lloyd George erin om de aan hem ondergeschikte generaals af te houden van verdere grootscheepse bloedige offensieven totdat de Amerikanen daadwerkelijk in actie zouden komen.

David Lloyd George geloofde stellig in reïncarnatie. In een verslag dat zijn vertrouweling Riddell over de Vredesconferentie te Versailles schreef, staan de volgende woorden; Lloyd George sprak ze op 3 september 1919: 'Als jongen maakte de gedachte aan de hemel me banger dan de gedachte aan de hel. Ik stelde me de hemel voor als een plaats waar het altijd zondag was en waar zonder onderbreking kerkdiensten werden gehouden. Er wegvluchten was onmogelijk want de Almachtige, geassisteerd door horden engelen, zou er altijd in de gaten houden wie er niet aanwezig was. Het was een verschrikkelijke nachtmerrie. De gedachte aan de ouderwetse hemel waar de engelen niet ophielden met zingen enzovoort maakte me bijna gek tijdens mijn jeugd en zorgde ervoor dat ik tien jaar lang een atheïst was.

Mijn huidige mening is dat we gereïncarneerd zullen worden en dat we na dit leven zullen lijden of voordeel zullen hebben in overeenstemming met wat we tijdens dit leven hebben gedaan. Zo zal bijvoorbeeld de werkgever die zijn werknemers afbeult, worden veroordeeld om zelf ononderbroken te worden afgebeuld.'[64]

Ook de tijdens de Tweede Wereldoorlog veelgeprezen generaal George Patton was overtuigd van reïncarnatie. Tijdens de Eerste Wereldoorlog vocht hij als commandant van een groep tanks in Frankrijk. Tijdens zijn leven had Patton onder andere door flashbacks voor zichzelf bewijzen gevonden over eerder geleefde levens. Zo had hij, volgens eigen zeggen, op mammoeten gejaagd, was hij vikingkrijger geweest, was hij legionair in het beruchte 10de Legioen van Caesar, vocht hij voor Alexander de Grote en als Highlander voor het Schotse House of Stuarts. Ook was hij ruiter geweest bij de cavalerie van Napoleon.

In 1918 bood een Franse verbindingsofficier aan Patton de omgeving van Langres te laten zien. De jonge George Patton wees het aanbod af omdat hij de omgeving goed genoeg dacht te kennen. Zijn chauffeur volgde de opdrachten van zijn meerdere, die nooit eerder in de omgeving was geweest, en samen kwamen ze aan bij een Romeins amfitheater en twee oude tempels die gewijd waren aan Mars en Apollo. Patton wees er de plek aan waar Caesar eens zijn tent had opgeslagen. Toen Patton op 26 september 1918 zwaar gewond op het slagveld bij Cheppy lag, begreep hij, naar eigen zeggen, voor het eerst de diepere betekenis van de woorden van Paulus in 1 Korintiërs 15:26: 'En de dood is de laatste vijand die vernietigd wordt.' Met de dood werd volgens Patton de angst voor de dood bedoeld: als je werkelijk dicht bij de dood bent, kun je er niet meer bang voor zijn omdat je er al eerder bent geweest, je kent en herkent het. Met andere woorden: de bijna-dood van Patton op het slagveld van Cheppy bevestigde wat de man eigenlijk al wist.

Patton sprak niet veel over reïncarnatie. Behalve een paar intimi waren alleen zijn familieleden op de hoogte van zijn overtuiging. Luitenant Harry Semmes was zo'n intimus. George Patton vertelde Semmes in de herfst van 1918 hoe hij kort na zijn aankomst in Langres opdracht kreeg af te reizen naar een geheime bestemming in Frankrijk. Toen hij een heuvel zag, vroeg Patton aan zijn chauffeur of het kamp niet net aan de andere kant, rechts van de heuvel lag. De chauffeur antwoordde: 'Nee, het kamp waar we heen gaan is verder weg, maar op de plek die u bedoelt ligt een oud Romeins kamp, ik ben er zelf geweest.' Toen hij zijn kamp weer verliet vroeg Patton aan een officier: 'Is uw theater niet recht vooruit?' waarop de officier vertelde: 'We hebben hier geen theater, maar ik weet wel dat daar een oud Romeins theater staat, slechts zo'n driehonderd yards hiervandaan.' Volgens Semmes vond dit gesprek na het invallen van de duisternis plaats en kon Patton onmogelijk iets van het theater zien.

Tijdens het interbellum en tijdens de Tweede Wereldoorlog had generaal George Patton vergelijkbare ervaringen.[65]

HOOFDSTUK 24

1917

In 1917 ging de strijd in het westen onverminderd voort. De voortsukkelende strijd bij Ieper, waar in 1915 voor het eerst op grote schaal strijdgas werd ingezet, escaleerde in de zogenaamde Derde slag bij Ieper. De streek rond Ieper is van nature moerasachtig, maar door een ingewikkeld irrigatiesysteem was het de bewoners gelukt de grond redelijk droog te houden. Dit systeem was door de aanhoudende granaatbeschietingen over en weer volledig ontregeld geraakt en het gebied was in een grote modderpoel herschapen. Toch meende het Britse opperbevel dat vechten in dit slijk mogelijk was. Geprobeerd zou worden de Duitse linies te doorbreken en de vijand terug te drukken. De dramatiek van de gevechten die vanaf 31 juli tot in november woedden is nauwelijks te beschrijven. Door de modder was het in de praktijk zogoed als onmogelijk gewonden af te voeren en de voedselvoorziening was allerbelabberdst. Keer op keer moesten de Britse soldaten tegen de Duitsers en hun mitrailleurs oprukken. Van terreinwinst was vrijwel geen sprake, laat staan van een naderende overwinning. Tragisch hoogtepunt in de strijd waren de gevechten om het totaal verwoeste Passendale, een versterkt dorp omgeven door bijna ondoordringbare blubber, lijken en met water gevulde granaattrechters. De weg ernaartoe was bijna niet meer begaanbaar. Als een soldaat maar even buiten een ooit verharde weg kwam, dan zakte hij weg om nooit meer gevonden te worden. De ondergelopen granaattrechters werkten als wespenvallen, kwam je erin terecht, dan was het zonder hulp van anderen onmogelijk om er weer uit te komen. De soldaten liepen met een zware bepakking op hun rug. Vielen ze om wat voor reden dan ook voorover, dan was het zaak snel op te staan, voor het te laat was. Het is dan ook niet vreemd dat 20 tot 25% van de Britse gesneuvelden stierf door verdrinking. De Britse opperbevelhebber generaal Douglas Haig had de gewoonte het front te mijden, volgens hem zou het zijn meningsvorming te veel beïnvloeden, wat nadelig was voor zijn objectiviteit. Bovendien was hij, blijkens aantekeningen in zijn dagboek, ervan overtuigd dat hij voor God vocht en de Duitsers voor de duivel. Een gevaarlijke overtuiging die gemaakte fouten gemakkelijk rechtvaardigt. Meer dan eens had hij tijdens spiritistische seances advies gevraagd aan de geesten. Tijdens het nemen van beslissingen, die het leven en de dood van duizenden aangingen, volgde hij die raad op. De zuster van Haig, Dorothea Jameson, was een bekend spiritiste. Het verhaal gaat dat Douglas Haig tijdens een van de seances te horen kreeg dat de geest van Napoleon achter hem zichtbaar was. Haig was hiervan danig onder de indruk en schijnt (volgens onbevestigde bronnen) tijdens een conferentie in februari 1916 aan zijn gastheren te hebben verzocht om de tombe van Napoleon in Les Invalides te Parijs open te maken. Vervolgens heeft hij daar, alleen, geruime tijd doorgebracht.

De afstand die Haig had tot het dagelijks leven van de soldaten die hun leven voor hem waagden, was bijna spreekwoordelijk. Toen de Derde slag bij Ieper zogoed als gevochten was, besloot de stafchef van Haig, generaal Kigell, om voor het eerst een bezoek te brengen aan het front. Toen hij in de buurt van Passendale kwam barstte hij in snikken uit. 'Mijn God,' zei hij, 'hebben we hier onze mannen laten vechten?' Waarop zijn begeleider antwoordde: 'Ja, en verderop is het nog erger.'

Op 11 november 1917 werden de gevechten bij Ieper gestaakt. Volgens officiële cijfers verloren de Britten tijdens de Derde slag bij Ieper 244.897 man, de Duitsers verloren een slordige 217.000

man aan doden, gewonden en vermisten. De frontlijn was ongeveer 8 kilometer opgeschoven. Een afstand die een wandelaar, als hij flink doorstapt, in een uur loopt. Er was bijna vier maanden onophoudelijk voor gevochten…

Echt veel was er niet veranderd aan de strategische positie van de tegenstanders en van een doorbraak was al helemaal geen sprake. Nu nog steeds liggen er ruim 90.000 Britse doden in de Vlaamse klei van wie het graf niet bekend is; vermoedelijk ongeveer evenveel Duitsers vonden een roemloos einde zonder bekend graf in de drab.

Haig bleek niet erg onder de indruk van deze cijfers. Op 20 november 1917 gaf hij het startschot voor een nieuw 'veelbelovend' offensief bij Cambrai…

Duitse en Britse gewonden wachtend op evacuatie

Ook in de streek tussen Arras en Bapaume werd in 1917 hevig gevochten. De Engelse kapitein Eldred Wolferstan Bowyer-Bowen sneuvelde er in het plaatsje Mory op 19 maart 1917. Vier dagen later kreeg zijn moeder bericht dat haar zoon vermist werd, maar pas op 10 mei 1917 werd het dode lichaam van haar zoon gevonden.

De halfzuster van Bowyer-Bowen bevond zich op 19 maart in een hotel in Calcutta (India) en wist niet eens dat haar broer aan het front was. Ze hield zich bezig met wat naaiwerk en met haar jongste kind toen, ineens, de gestalte van haar broer verscheen. De verschijning was zo duidelijk, dat ze aanvankelijk dacht dat hij werkelijk voor haar stond. Diezelfde morgen was hij ook verschenen aan het driejarige dochtertje van haar zuster in Engeland. Het meisje was 'Alley-Boy', zoals ze haar oom noemde, in huis tegengekomen.[66] Eldred Bowyer-Bowen was de enige zoon van Thomas en Margaret Bowyer-Bower uit South Kensington, Londen. Hij ligt begraven op het Mory Abbey Military Cemetery te Mory (Frankrijk).

In de literatuur over de Eerste Wereldoorlog zijn veel meer gevallen beschreven van familieleden of andere naasten die op wonderbaarlijke wijze op de hoogte werden gebracht van het overlijden van hun dierbare dan in dit boek zijn opgenomen. Maar misschien nog meer verteld en opgetekend zijn de verhalen van soldaten die hun eigen dood met verbazingwekkende nauwkeurigheid voorspelden. Als de dood het gevolg is van een ziekte, dan zou het voorvoelen van de eigen dood verklaard kunnen worden als het aanvoelen van signalen die het lichaam, al dan niet bewust, afgeeft. Komt de dood echter door een ongeluk of door een onverwachte oorlogshandeling, dan lijkt het uitgesloten dat degene die sterft daar enige invloed op kan uitoefenen. In dat geval is er volgens mij sprake van het uitkomen van een voorspelling waar geen normale verklaring voor te geven is. En juist tijdens de Eerste Wereldoorlog kwamen dit soort voorspellingen veelvuldig voor.

Edwin Campion Vaughan (1897-1931) bijvoorbeeld beschrijft in zijn dagboek *Some Desperate Glory* hoe een korporaal een sterk voorgevoel over zijn naderende dood kreeg: '12 maart 1917 (in de voorste linie bij Herbécourt vlak bij de Somme). Deze post was een perfect ronde kuil waarin zes mannen lagen, de wacht-posten gluurden over de rand. De overigen kropen bij elkaar, klapperend van de zenuwen en de kou. Korporaal Bennett had de leiding en hij scheen volkomen opgewonden. Toen ik een paar woorden met hem had gesproken, en me naar de loopgraaf begaf, kwam hij achter me aan en vroeg of hij afgelost kon worden want zijn zenuwen hadden het begeven. Hij stond te beven van angst. Ik vond het heel vervelend voor hem maar ik wist dat hij het moest uithouden. Als ik aan hem tegemoet zou komen, zou de rotte plek zich gaan verspreiden.

Ik zei hem dat hij onmiddellijk naar zijn post moest terugkeren en dat hij een voorbeeld voor zijn mannen moest zijn in plaats van weg te lopen voor gevaar. Dit maakte hem rustig en hij raak-te zijn nerveuze beven kwijt. Hij hervond zichzelf en veront-schuldigde zich met vastberaden stem. Hij vertelde dat hij niet begreep waarom hij zo van slag was geraakt, hij had voor hetere vuren gestaan zonder een haar gekrenkt te worden. Ik vertelde hem zich geen zorgen te maken en liep door naar Post nummer 4. (…) Ik trof Holmes aan die bezig was een slachtofferrapporta-ge te maken. Toen hij Post nummer 3 bereikt had, had hij kor-poraal Bennett samen met drie anderen dood aangetroffen. De drie overgebleven mannen van de post waren gewond. Een paar minuten nadat ik hen had verlaten was een granaat tussen hen in gevallen. Ik vertelde Holmes over de zenuwachtigheid van Bennett en zijn plotselinge fatalisme. We waren het erover eens dat hij een waarschuwend voorgevoel had gehad.'[67]

Edwin Campion Vaughan diende als officier in het Royal Warwickshire Regiment. In het dodenregister, the Debt of Honour Register, van de Commonwealth War Graves Commission (de Britse oorlogsgravendienst) komt inderdaad een zekere Alfred Henry Bennett uit Birmingham voor die op 13 maart 1917 in de buurt van de Somme sneuvelde. Hij diende in hetzelfde regiment als Vaughan maar had de rang van Lance Serjeant. Het lijkt er dan ook op dat Vaughan zich in de rang van Bennett heeft vergist; het is tevens mogelijk dat Bennett postuum werd bevorderd.

Het graf van Bennett is onbekend, maar de man wordt herdacht op het Thiepval Memorial.

In de loop der jaren zijn vele oorlogsdagboeken zoals dat van Vaughan in boekvorm verschenen en ik heb er ondertussen heel wat gelezen. Over het algemeen geven dergelijke boeken een goed beeld van wat er in de geest van de soldaat omgaat die dagelijks te maken heeft met extreme stress. Het vreemde van dergelijke dagboeken is dat vaak verschijnselen worden beschreven die niet op een normale manier verklaard kunnen worden. Het lijkt wel alsof de dagboekschrijvers ze als een normaal onderdeel van hun dagelijkse bestaan beschouwden. Met regelmaat las ik over militairen die kort voor hun dood wisten dat ze zouden sterven of wisten van naderend gevaar dat normaalgesproken niet te voorzien was. In onze tijd zou een dergelijk fenomeen grote verbazing wekken, tijdens de oorlog van '14-'18 nauwelijks... Ook de Fransman Louis Barthas was een schrijvende soldaat. In 1998 verschenen zijn oorlogsdagboeken in een Nederlandse vertaling en het zeer lezenswaardige boek werd terecht een succes. Verscholen tussen de vierhonderdtweeënzeventig pagina's las ik vijf verhalen waarin Barthas vertelt hoe mannen van tevoren op de hoogte bleken te zijn van hun snel naderende dood of naderend gevaar. Ik geef ze onverkort weer evenals de door Barthas beschreven wonderlijke redding van een relikwie:

'13 juni 1915, Lorette.
Uiteindelijk vonden we een verbrijzeld hoofd en een kepie met een specifieke vorm die we onmiddellijk herkenden als die van Mondiès. (...) Sinds enige tijd had Mondiès een voorgevoel

gehad van zijn naderende einde. De vorige avond nog schreef hij een wanhopige brief aan zijn familie.

14 juni 1915, Lorette.
Van alle kanten vlogen de granaten tot vlak bij de wachtposten. Bij onze aankomst waren we verbaasd een man aan te treffen die op zijn knieën zat te bidden, een rozenkrans in de handen; het was korporaal Marty van de 14de groep. Hij was heel devoot hierheen gekomen om de dood in gebed en meditatie af te wachten. Ook hij had een voorgevoel van zijn naderende einde. Zijn dagen waren geteld.

2 juli 1915, Lorette.
"In godsnaam, wees toch stil, houd je bek!" riep de arts. Wat een lieve, troostrijke woorden tijdens het laatste moment van een stervende, met een opengereten lichaam, ver van iedereen van wie hij hield. "Mijn arme kinderen," riep hij – hij had er drie – "ik zal jullie nooit meer zien." Daarna riep hij, gelovig als hij was, smekend de Heilige Maagd en de heilige Theresia aan. De laatste was, zoals hij me dikwijls had verteld, de beschermheilige van gewonde soldaten. Er voltrok zich jammer genoeg geen wonder. De dood slaat toe zonder onderscheid, zowel bij de vroomste gelovige als bij de meest verstokte atheïst. De arme korporaal Marty stierf toen ze hem de hulppost binnenbrachten.

3 juli 1915, Lorette.
Andere soldaten van de 14de groep die op de bankjes zaten of sliepen werden ook gewond. Alles bij elkaar maakte die ene granaat een vijftiental slachtoffers. En weer was ik door mijn intuïtie, die ik al zo dikwijls had gevoeld, gewaarschuwd voor het naderende gevaar. Zoals iedereen die niet op wacht stond wilde ook ik op zo'n bankje slapen. Maar plotseling kreeg ik het idee achterin de loopgraaf te gaan liggen, al wist ik dat me daar trappen en schoppen te wachten stonden van de schoenen van andere soldaten. Maar er was geen gevaar voor scherven.

18 juli 1915, Hersin in de buurt van Bully-Grenay.

Honden voelen ook de dood van hun baas aankomen en zonder twijfel ook hun eigen dood. De leraar Mondiès en zo vele anderen die ik heb gekend hebben dat ook gehad. Velen zijn zelfs zonder het te beseffen door dat gevoel aan de dood ontsnapt. Alles hangt misschien af van de gevoeligheid van onze zenuwen voor indrukken. Maar die dag dacht ik dat ik mij vergiste. Welk gevaar kon er nu op mij loeren? We waren niet meer in die akelige Fond de Buval. We waren in een rustig, vredig dorp. De straat wemelde van leven, kinderen waren aan het spelen, huisvrouwen stonden op de stoep te kletsen en onderofficieren flirtten met blonde jonge meisjes. Ik keek wel uit om mijn voorgevoelens aan mijn twee vrienden te vertellen. Ze zouden me misschien uitgelachen hebben. Ik ging niet mee onder het voorwendsel dat ik nog iets te doen had. Moest ik nu in het kwartier blijven of juist weggaan om het dreigende gevaar te ontvluchten? Ik liet het over aan mijn stemming die mij ingaf naar een kruidenier te gaan waar ze ansichtkaarten van Hersin hadden. Tot voor kort vielen die onder de censuur en mochten niet verkocht worden.

Met soldaat Ventresque ging ik ernaar toe. We kozen een paar kaarten uit en op het moment dat we naar buiten wilden gaan hoorden we een reeks ontploffingen. Een salvo granaten was op Hersin neergekomen. De winkel had een binnenplaatsje dat overdekt was met een glazen veranda. Een grote granaatscherf vloog dwars door het dak en het glas viel in stukken naar beneden. De kruideniersvrouw en haar familie vluchtten verschrikt de trap af naar een kelder. Als we dievenneigingen hadden gehad, dan hadden we gemakkelijk al die heerlijke dingen die er in overvloed lagen kunnen jatten. Maar we liepen onmiddellijk terug naar ons onderkomen. Daar hoorden we dat drie granaten precies op het kruispunt waren ingeslagen waar onze rijdende veldkeuken stond. De vier koks waren ernstig gewond. De schoorsteen van de veldkeuken was afgebroken en de kookpot was in stukken. Die dag stonden we op dieet.

135

5 oktober 1915, Maroeuil.

Een paar dagen tevoren was een zware granaat in de kerk ingeslagen en in het koor ontploft. Alles was verwoest behalve het glazen relikwieschrijn waarin zich het gebeente van de heilige (Bertilde) bevond. Een wonder? Toeval?

Het lijdt geen twijfel dat het voor de pastoor van Marœuil een echt wonder was. Tijdens de dienst verzekerde hij ons dat het de derde keer was dat de relikwieën aan de totale verwoesting waren ontsnapt: tijdens de Honderdjarige Oorlog, de Revolutie van 1789 en tot slot nu, in 1915.

19 oktober 1916, in de buurt van Combles.

De kleine Maurice Yver uit Bretagne dic ik twee francs had geleend gaf me een muntje van veertig cent: "Neem dit aan," zei hij, "voor het geval dat ik sneuvel. Zo zijn we quitte. Bedankt." Wat konden mij die veertig cent op dat moment schelen! Ik weigerde, maar hij bleef aandringen. Had hij een voorgevoel van zijn naderende dood? Deze arme jongen die later door een granaat in flarden zou worden geschoten? Misschien!

Februari 1917, op de Demi-Lune heuvel.

Toen ik me op een dag naar de keukens begaf om ons rantsoen te halen werd ik vijftig meter van onze schuilplaats door een salvo van vier granaten verrast die om mij heen ontploften. Door de luchtverplaatsing werd ik met een klap op de grond gesmeten. Ik had het gevoel dat ik dood was. Mijn kameraden die op de drempel van de schuilplaats mijn komst afwachtten dachten dat ik vermorzeld was. Ze schoten me te hulp en waren verbaasd toen ze zagen dat ik op eigen kracht overeind kwam. Toen ik al mijn ledematen betastte kon ik zelfs geen schrammetje ontdekken. Daarentegen waren alle kannen en kookpotten verpulverd en we moesten aan meester "Papier" gaan vragen of hij ons nog wat restanten wilde geven voor het ontbijt. Wel twintig keer heeft de dood mij aangeraakt, zich zelfs van mij afgekeerd en weer eens scheen een mysterieuze hand me te hebben gered van een gruwelijke dood…[68]

Duitse legerpriester zegent gesneuvelde militairen. Het 'rookwolkje'
boven het achterste graf zou volgens een paragnost het vertrekken van
de menselijke ziel uit het lichaam zijn. Dit fenomeen wordt slechts
zelden waargenomen omdat het in een fractie van een seconde
plaatsvindt

In 1997 verschenen de memoires van de Canadees Will 'Bill' Bird
(1891-1984). Bird vocht tijdens de Eerste Wereldoorlog in
Frankrijk tegen de Duitsers. Net zoals Vaughan en Barthas
beschreef hij, zonder dat hij blijk gaf zich erover erg te verbazen,
een aantal opmerkelijke gebeurtenissen: 'Het was geen beste
morgen voor me. Het feit dat ik niet had geslapen, niets had
gegeten en veel had gelopen, had ervoor gezorgd dat ik erg moe
was. En de laatste tijd was er weinig vrolijks gebeurd. Eddie
Cuvilier van het 13de peloton was naar me toegekomen en reik-
te me zijn hand. Hij lachte maar zag erg bleek. Ik gaf hem een
ferme handdruk en zei: "Veel geluk Eddie." Hij schudde zijn
hoofd. "Dit is mijn laatste reisje," zei hij.
Mijn woorden klonken onduidelijk en hij lachte opnieuw. "Ik
weet wat je wilt zeggen," zei hij. "Maar dit is mijn laatste ochtend,
en ik wilde afscheid nemen van iemand van thuis."
Hij draaide zich plotseling om en verdween. Wat kon ik zeggen?

En hij was nog maar net weg toen Bob Christensen, een van de beste brancardiers, langs kwam. Hij las boeken en hij en ik hadden veel gediscussieerd. Hij lachte en schudde handen. Hij zei dat hij hoopte dat hij in mijn hemel kwam maar dat hij sowieso deze dag ging. We gaven elkaar hartelijk een hand en hij ging heen. Wat kon ik tegen hem zeggen? (…) Een granaat explodeerde voor ons waar enkelen van het 13de peloton zich verzameld hadden en we zagen hun brancardiers naar de plaats van inslag rennen terwijl we ons voorthaastten naar hoger gelegen grond die wat beschutting zou geven. Terwijl we liepen zag ik de brancardier omhoog komen en zijn hoofd schudden. Hij stond naast het lichaam van sergeant Eddie Cuvilier. Op de een of andere manier was Eddie's waarschuwing uitgekomen.'

Helaas kwam ook het voorgevoel dat Bob Christensen die morgen had uitgesproken uit: '(…) De sergeant kwam langs en sprak over Cuvilier en Ted. "Erg jammer van Christensen," zei hij. "Wat is er met hem?" vroeg ik. "Hij had een mooie blighty en was al bezig weg te komen toen hij werd gedood door een granaat. Pech." (…)

Het grondzeil dat boven onze hoofden was vastgezet werd losgetrokken en viel op mijn gezicht waardoor ik wakker werd. Toen greep een stevige warme hand een van mijn handen en trok me op tot een zittende positie. Het was heel vroeg, de eerste zonnestralen glinsterden op het dauwnatte gras. Ik was geprikkeld dat ik nog wat karweitjes moest doen nadat ik zo lang buiten was geweest. Ik probeerde me los te rukken. Maar de handdruk bleef en toen ik rechtop kwam te zitten werd mijn andere hand beetgepakt waarna ik naar mijn bezoeker keek.

Ogenblikkelijk was ik uit het lood geslagen, zo verrast dat ik niet kon spreken. Ik stond tegenover mijn broer Steve die in 1915 was omgekomen! In de eerste mededeling van het War Office stond: "Vermist, waarschijnlijk dood." Na een tijdje had een van zijn kameraden geschreven dat een laars met zijn naam erop was gevonden. De Duitsers hadden de Canadese loopgraaf ondermijnd en opgeblazen.

Steve grijnsde toen hij mijn handen losliet, toen legde hij zijn warme hand op mijn mond omdat ik mijn blijdschap uit wilde schreeuwen. Hij wees naar de slapenden in het onderkomen en op mijn geweer en uitrusting. "Pak je spullen," sprak hij zacht. Terwijl ik het pakte draaide hij zich om en liep snel weg. Het was moeilijk hem bij te houden. We passeerden tijdelijke schuilplaatsen die vol waren met mannen van mijn peloton, niemand was wakker. Zo nu en dan werd een geweer afgevuurd in de richting van de Somme en af en toe ratelde een mitrailleur. Maar over het algemeen was het een rustige morgen. Zo gauw we voorbij de schuilplaatsen waren haastte ik me om zo dicht mogelijk bij Steve te komen. "Waarom schreef je moeder niet?" vroeg ik hem. Hij draaide zich om met de grijns nog steeds op zijn gezicht. "Wacht," zei hij. "Praat nog niet."

Toen viel me op dat hij een pet droeg en dat hij geen gasmasker bij zich had. Op de een of andere manier was hij erachter gekomen waar het 42ste was, en onze D-compagnie, maar hoe in 's hemelsnaam was hij erachter gekomen waar ik sliep? We verlieten het gebied van onze compagnie en liepen zonder omwegen naar een verzameling ruïnes die over waren van wat eens Petit Vimy was. "Er is hier niemand," zei ik. "Hoe wist je waar je me kon vinden?"

Op dat moment viel mijn uitrusting, die ik snel over mijn schouder had geslagen, op de grond, voordat ik het kon opvangen. Terwijl ik me bukte en het oppakte ging Steve een gang in tussen de puinhopen. Ik rende om hem in te halen. Toen ik er was zag ik dat een pad naar links liep, een ander ging naar rechts. Welke weg had hij genomen? "Steve," riep ik. Er kwam geen antwoord, ik liet mijn spullen en geweer vallen en rende rechtsaf. Binnen twee, drie minuten was ik aan het einde maar er was geen spoor van mijn broer. Ik holde terug en riep hem opnieuw, nam het weggetje naar links, zocht en zocht opnieuw, riep hem herhaaldelijk maar kon hem niet vinden. Ten slotte ging ik op mijn uitrusting zitten en leunde achterover tegen een muurtje. Ik was moe, bezweet en opgewonden. Een groot verlangen om onze officier te vinden teneinde een dag vrij te nemen kwam bij me op, maar ik realiseerde me dat ik niet wist waar onze officier of onze sergeant was en als ik de directe omgeving zou verlaten zou Steve, als hij terugkeerde, niet weten waar ik was. Waarschijnlijk had hij geen pas en wilde hij niet worden gezien. Als ik me niet druk had gemaakt over mijn uitrusting, dan had ik hem bijgehouden.

Minuten gingen voorbij, ik stond op en keek nog eens tussen de puinhopen. De zon begon te glinsteren op de bovenkanten van de gebroken muren. Ik installeerde me wat comfortabeler op mijn uitrustingsstukken en hoorde het gebruikelijke ontwaken van de vuurmonden die hun voorgeschreven schoten afgaven. De zon werd warmer, ik doezelde.

Plotseling werd ik wakker geschud. Tommy had mijn arm vast en schreeuwde: "Hij is hier, hij is hier, Bill is hier!" Stuntelend kwam ik overeind, duizelig, en ik keek op mijn horloge. Het was negen uur.

"Waarom ben je hier?" vroeg Tommy me. "Wat is er gebeurd?"

"Waarom al die drukte?" was mijn wedervraag.

"Je zou het moeten weten. Ze graven rond de schuilplaats waar je in was. Ze hebben niet meer gevonden dan de helm van Jim en een van Bobs benen."

"Benen!" echode ik dommig. "Wat bedoel je?"

"Weet je dan niet dat een grote granaat in die schuilplaats terechtkwam? Ze hebben geprobeerd iets van je terug te vinden."

Het scheen volkomen ongelooflijk. Ik deed mijn spullen om en volgde Tommy. Er was een groot gat in de loopgraaf en puin lag verspreid over het hele gebied. Mickey kwam aanhollen om mijn hand te schudden. De sergeant riep me en ik zag dat hij met een officier sprak.

Toen we dichterbij kwamen zag ik dat het een hoge artillerieofficier was en ik salueerde. "Waarom verliet je de schuilplaats?" vroeg de sergeant. "De jongens zeggen dat je er samen met Jim en Bob inging."

"Dat is zo," zei ik. "Ik was er tot het krieken van de dag."

"Waarom ben je dan weggegaan?"

Het was de artillerieofficier die deze vraag stelde, en ik aarzelde, ik wist dat het raar zou klinken als ik ze precies zou vertellen wat was gebeurd.

"Wees niet bang," zei hij. "We zijn allemaal vrienden."

Hij zag eruit als een echte heer en daarom vertelde ik hem mijn verhaal tot in elk detail. Hij maakte aantekeningen in een boek dat hij bij zich had; vroeg mijn naam, waar ik vandaan kwam en alles over Steve. Daarna schudde hij mijn hand. "Je hebt een buitengewone ervaring gehad," zei hij. (…)

Ik had Steve net zo duidelijk gezien als ik Mickey zag. Zijn warme handen hadden me uit de schuilplaats getrokken. Zijn stem had volkomen natuurlijk geklonken. Hij had mijn leven gered.

Ik ging bij de Kerk van de Methodisten toen ik 14 was en was normaal fatsoenlijk. Ik hield ervan om 's avonds in de YMCA

Openluchtmis voor Britse militairen

hymnen te zingen. Ik hield niet van de verplichte kerkdiensten en de officieren die dan "O God, Our Help in Ages Past" zongen. Ik weet nu zeker, naast alle argumenten en theorieën die door mensen worden aangedragen, dat er een hiernamaals is, ik zal hierover nooit meer de geringste twijfel hebben. (…)

Plotseling lag er een warme hand op de mijne. Ik dacht dat het Murray was en keek om me heen. Het was Steve! Ik was zo verbaasd dat ik geen woord kon uitbrengen en sprong op. Hij greep mijn hand krachtiger beet en trok me in de richting van de deur. "Laten we hier snel vandaan gaan!" zei hij. De halve grijns op zijn gezicht was precies zoals ik de laatste keer had gezien.

Hij liet mijn hand los toen we bij de trap waren en opende het gasgordijn. Ik herkreeg mijn stem. "Steve, wil je…"

"Bill!" riep Hughes zo hard mogelijk. "Ga niet naar buiten! Het bombardement is verschrikkelijk!"

Maar Steve ging de trap op en ik was zo dicht bij hem dat zijn laars mijn scheen raakte. Het zorgde ervoor dat ik struikelde en tegen de tijd dat ik mijn evenwicht terug had, keek hij om, lachend. Toen, in een oogwenk, verdween hij. Een granaat ontplofte in een ruïne aan de overkant van de straat en de stukken steen vlogen zo dicht naast mijn hoofd dat ik bukte. Op hetzelfde moment hoorde ik beneden een enorme explosie!

Ik stormde de trap af. Kruitdampen kwamen me tegemoet toen ik de gasdeken opzij rukte. De plek was aardedonker. Mannen kreunden en opgewonden stemmen riepen vanaf de plaats waar de brancardiers hadden gewacht. Net zoals ik staken ze kaarsen aan en toen ik er een aan het branden kreeg, haastte ik me om te helpen. Het licht onthulde een letterlijk bloedbad. Iedere man lag op de grond en sommigen probeerden op te staan. Maar de meesten bewogen niet. Hughes had niet bewogen. Hij zat nog steeds op de richel, maar bloed sijpelde uit een groot gat in zijn hoofd. Hij was gestorven zonder om te vallen. Drie mannen om hem heen waren dood. Hayward schreeuwde dat zijn rug in brand stond. Harley lag met zijn hoofd in een plas bloed die uit zijn nek stroomde – dood. Earl lag op de vloer met een oog op zijn wang en vreselijke buikwonden, maar – vreemd – was gedeeltelijk bij bewustzijn. Hayward schreeuwde naar me en ik verwijderde, terwijl ik zijn hemd scheurde, zijn uitrusting en tenue. Zijn hele rug was bebloed maar er was geen ernstige wond. Het leek alsof hij door heel verfijnde munitie was beschoten. Ik gebruikte een fles jodium van een van de doden en alle jodium die hij zelf bij zich had, waarna ik hem naar de brancardier zond. Ze hielpen ons maar vertelden dat ze niemand mee naar buiten konden brengen omdat het granaatvuur nog te hevig was.

Bill Childs had vreemd genoeg geen wonden. Hij vertelde dat een nieuwkomer zijn geweer, tijdens het laden, had afgeschoten in een zak met handgranaten. Toen voegde hij er nog aan toe dat Earl het niet zou overleven als hij niet naar een arts werd gebracht. Er was erg weinig tijd om iets voor hem te doen, maar toen we erover spraken met de brancardiers zeiden ze dat ze Earl mee naar buiten zouden nemen als het wat rustiger was. (...)

Ik kon niet slapen omdat ik aan Steve dacht. Hij had me letterlijk naar de trap getrokken, niet met de aanraking van een geest, maar met de greep van een sterke warme hand. Zijn stem had volkomen natuurlijk geklonken en er klonk een sterke aandrang in door. Zijn benen waren pal voor me geweest op de keldertrap. Hoe meer ik eraan dacht, hoe zekerder ik ervan werd dat er veel meer in de wereld is dat we niet begrijpen en dat de volgende fase van het leven waar we naartoe gaan in een nauwe verbinding staat met hen die we achterlaten. Eens zal dit verband ontdekt worden.'[69]

De op 8 oktober 1915 op negentienjarige leeftijd overleden broer van Will Bird redde hem twee keer het leven. Het lichaam van deze Stephen Carman Bird werd nooit teruggevonden. Steve Bird diende bij het 25ste Bataljon Canadese Infanterie van het Novan Scotia Regiment. Hij wordt herdacht op een van de gedenkplaten aan de Meensepoort te Ieper. Eddie Cuvilier en Bob Christensen, de mannen die hun dood zagen aankomen, sneuvelden volgens de memoires van Bird op 8 augustus 1918 tijdens de eerste dag van de slag bij Amiens. In het register van de Commonwealth War Graves Commission is R. Christensen inderdaad te vinden als soldaat van de het 42ste Bataljon Canadese Infanterie (Quebec Regiment). Hij sneuvelde op donderdag 8 augustus 1918 in de buurt van Amiens. Christensen is begraven op het Hourges Orchard Cemetery te Domard–sur–la–Luce. De naam Cuvilier – en flink wat varianten op die naam – komt in het CWGC-register niet voor als een in 1918 gesneuvelde militair.

Will Bird was zeker niet de enige Canadees die een ontmoeting had met een dode. De neef van de als wetenschappelijk onderzoeker werkzame John D. Colby maakte hetzelfde mee. Colby tekende de woorden van zijn neef uit de eerste hand op.
In 1915 diende Colby's neef als kapitein van de landmacht in de buurt van Ieper. Daar lag hij met regelmaat in de voorste loopgravenlinies. Nadat zijn bataljon eens negen dagen lang onder vuur had gelegen, kwam 's avonds de langverwachte aflossing. Voordat van de welverdiende rust kon worden genoten moest door de soldaten, die bekaf waren en het steenkoud hadden, een mars worden gelopen van ruim vijftien kilometer. De weg voerde langs Suicide Corner, een kruispunt dat elke nacht door de Duitsers onder zwaar granaatvuur werd genomen. Om te voorkomen dat zo'n vijandelijke beschieting te veel slachtoffers in één keer zou maken werd besloten in ganzenpas en met voldoende ruimte tussen de pelotons onderling te lopen. Voorop liep de commandant en de neef van Colby sloot de rijen. Aan beide zijden van de weg liepen sloten en wat eens velden waren geweest leken nu wel meren. In het verleden was het gebeurd dat mannen door hun oververmoeidheid van de weg raakten en in het water verdronken. Daarom was het de taak van degene die achteraan liep erop toe te zien dat niemand struikelde of achterop raakte.
Op een gegeven moment zag de kapitein hoe soldaat Burke wat terugviel. Ze spraken wat met elkaar en aten, bij gebrek aan beter, wat melktabletten. Toen de neef van Colby de tabletten aan de soldaat overhandigde en terloops de hand van de man aanraakte, viel hem op hoe koud zijn metgezel aanvoelde: 'Het leek wel een ijsklomp.' Ze liepen nog een tijdje samen op, waarna Burke plot-

seling verdween. De kapitein zocht overal met zijn zaklantaarn, maar kon geen spoor van soldaat Burke ontdekken. Toen pas realiseerde hij zich dat Burke drie dagen eerder was gesneuveld; zou hij zich vergist hebben en was een andere man verdwenen? Eenmaal op de bestemming aangekomen, en nadat de monster-rol was doorgenomen, bleek dat niemand uit het bataljon werd vermist. [70]

Volgens het register van de Commonwealth War Graves Commission echter sneuvelde er in de buurt van Ieper in 1915 niemand met de naam Burke. Het is natuurlijk mogelijk dat Colby zich in de naam vergist heeft.

HOOFDSTUK 25

Rusland

V ooral nadat tsaar Nicolaas II in 1915 het opperbevel van het leger op zich had genomen nam de invloed van Raspoetin op de tsarina fors toe. Doordat de tsaar zich ver weg aan het front bevond, had hij niet langer een goed zicht op de staatszaken. Naar gelang zij wel of niet in de gunst van Raspoetin stonden werden ministers aangenomen of ontslagen. Zo werd de analfabete monnik Warnawa tot aartsbisschop gepromoveerd en de obscure bureaucraat Stürmer tot minister-president.[26] Het gezag van de tsaar en zijn regering nam dan ook met de dag af.

Veel leden van de Russische adel hadden schoon genoeg gekregen van de invloed die de monnik Raspoetin had op het beleid van de als absolute vorst regerende tsaar Nicolaas II. Zij verweten hem de noodzakelijke hervormingen van het leger en de staat tegen te houden.
Op 1 januari 1917 werd het ontzielde lichaam van Raspoetin in de rivier de Newa gevonden. Zijn schedel was ingeslagen en op zijn geboeide lichaam waren diverse door kogels veroorzaakte verwondingen te zien. Prins Felix Joesoepov en enkele getrouwe officieren waren voor deze moord verantwoordelijk. Joesoepov had Raspoetin in zijn paleis uitgenodigd en hem gebak en madera, waarin cyaankali verwerkt was, gegeven. Toen dit niet het beoogde effect opleverde, volgde een schietpartij maar zelfs de

kogels waren niet in staat de oersterke 'door de Voorzienigheid gezonden Wonderdoener' te doden, waarna zijn schedel werd ingeslagen. Meer dood dan levend werd Raspoetin uiteindelijk in een wak in de Newa gegooid.

Raspoetin had zijn dood voorzien. Hij voorvoelde dat hij nog voor het begin van het jaar 1917 zou sterven. In zijn nalatenschap vond men een geschrift waarin hij voorspelde dat als hij door boeren zou worden vermoord de tsaar nog lang zou regeren; zou hij echter door de adel worden vermoord, dan zou 'geen van de kinderen of andere familieleden van de tsaar nog langer dan twee jaar leven'.[18] Ook tijdens zijn leven had Raspoetin het meer dan eens gehad over de lotsverbondenheid die tussen hem en de Romanovs bestond; zou hem iets overkomen, dan zou ook de tsarenfamilie ten onder gaan: 'Als jullie me verlaten, dan zullen jullie binnen een jaar de troon en het leven verliezen.'[26,71]

Al een paar maanden na de dood van Raspoetin kwam zijn voorspelling uit.

Een uit de hand gelopen demonstratie in Petrograd, waarin door arbeiders uit een wapenfabriek om loonsverhoging werd gevraagd, leidde ten slotte tot de val van het tsarenrijk. Op 16 maart 1917 werd Rusland een republiek, de tsaar en zijn familie werden geïnterneerd waarna ze op 16 juli 1918 werden terechtgesteld.

Toen Felix Joesoepov in 1955, tijdens een interview, gevraagd werd waarom hij Raspoetin vermoord had, leek het alsof een donkere schaduw over zijn gezicht viel. Moe haalde hij zijn schouders op. 'Het noodlot deelt rollen uit, goede en slechte rollen. We moeten deze rollen spelen. Wat kunnen we anders doen?'[71]

HOOFDSTUK 26

1918

O p 3 maart 1918 sloten de Russen met de Duitsers in Brest-Litowsk een vredesverdrag. Een groot gedeelte van de Duitse troepen aan het oostfront, meer dan veertig divisies, werd overgebracht naar het westen. Voor het eerst sinds de oorlog hadden de Duitsers een numeriek overwicht op de Fransen en Engelsen. Op 6 april 1917 hadden de Amerikanen de oorlog aan Duitsland verklaard en er werd gestadig gewerkt aan een Amerikaanse troepenopbouw in Europa. Voor Duitsland begon de tijd dus in het nadeel te werken, mede omdat de tekorten in Duitsland als gevolg van de zeeblokkade langzamerhand nijpend werden. Aardappelen waren bijna niet meer voorhanden, huizen konden niet meer worden verwarmd en er was een hoge kindersterfte. De Duitse bevolking was oorlogsmoe. Niet door het falen van het militaire apparaat, maar door het instorten van het moreel en de economie dreigde de oorlog te worden verloren. Het was zaak snel te handelen en de vijand zo snel mogelijk een vernietigende slag toe te brengen.

Met grote nauwkeurigheid hadden de Duitse inlichtingendiensten de posities van hun tegenstanders in kaart gebracht. Niet langer zou het Duitse leger proberen om de vijand daar waar hij sterk was te verslaan. Juist de zwakke plekken in de defensie van de vijand waren bestudeerd en in kaart gebracht en daar zou met kracht worden toegeslagen. Als plaats van handeling was gekozen voor het gebied tussen Arras en Laon, aan de rivier de Somme. De Somme had vanwege de moeizame en bloedige gevechten in 1916 voor de Britten een beladen klank gekregen. Onder de grootst mogelijke geheimhouding werden meer dan 6600 kanonnen en houwitsers en nog eens 3500 mijnenwerpers naar het terrein gesleept. Om ontdekking door verkenningsvliegtuigen te voorkomen werden de transporten 's nachts uitgevoerd. De voorste Duitse linies, die in het zicht van de vijand lagen, ondergingen geen zichtbare veranderingen. Tot op het laatste moment waren de geallieerden niet op de hoogte van de naderende aanval.

Op 21 maart, om 4 uur in de morgen, braakten de vuurmonden hun dodelijke lading uit. Met grote nauwkeurigheid werden de doelen onder vuur genomen. Vijf uur lang lagen de Fransen en Britten onder een dodelijk vuur. De lucht was gevuld met kruitdampen en rondvliegende granaatscherven. De beschieting was voor die tijd opmerkelijk kort geweest en daardoor wisten de Duitsers hun tegenstander te verrassen.

Pas na acht dagen lukte het de Fransen en Britten om de doorgebroken en oprukkende Duitse infanteristen tot staan te brengen. Voor Eerste-Wereldoorlogbegrippen was een enorme overwinning behaald. De Duitsers waren maar liefst 60 kilometer opgerukt en hadden bijna 100.000 krijgsgevangenen gemaakt. Keizer Wilhelm en zijn legeraanvoerders, generaal Ludendorff en generaal Von Hindenburg, waren opgetogen. Aan de 500.000 nieuwe verliezen die aan Franse, Britse en Duitse kant gevallen waren werd niet gedacht.

Ook het Noord-Franse plaatsje Albert werd door de Duitsers ingenomen. In het centrum van dit stadje stond de Notre Dame des Brebieres. In verhouding met het kleine plaatsje was het gebouw enorm. Op de toren van de basiliek was een groot bronzen beeld van Maria te zien, met in haar armen haar kind Jezus. Het beeldhouwwerk was tot in de verre omgeving zichtbaar en had als bijnaam 'De Maagd van de Kreupelen'. De beeldhouwer had haar niet bepaald perfect gemaakt: het ene been was korter dan het andere.

Notre Dame des Brebieres te Albert

De basiliek genoot grote bekendheid door een stenen beeldje dat erin te bewonderen was. Het beeldje was in de Middeleeuwen gevonden door een schaapherder in de buurt van wat nu de Britse militaire begraafplaats Bapaume Post Military Cemetery is. Toen de man het opraapte hoorde hij hoe het tot hem sprak. De herder nam de sculptuur mee naar Albert en al snel werden tal van wonderbaarlijke genezingen toegeschreven aan de kracht ervan. De verhalen van de genezingen zorgden voor een enorme aantrekkingskracht op de gelovigen. Zo groot dat Albert uiteindelijk een geduchte concurrent werd van Lourdes; het werd zelfs het 'Lourdes van het Noorden' genoemd. Iedere bezoeker mocht van de paus rekenen op een aflaat. Op topdagen kwamen 20.000 pelgrims aan op het plaatselijke stationnetje.

In januari 1915 werd de kerk voor het eerst getroffen door Duitse granaten, waardoor het beeld van Maria gedeeltelijk van de top afbrak en voorovergebogen bleef hangen. Het beeld kwam bijna haaks op de kerk te staan en leek ieder moment te kunnen vallen. Al snel ontstond bij de Britten de legende van 'De Overhellende Maagd'. Het hardnekkige verhaal ontstond dat als de maagd zou vallen, de oorlog snel voorbij zou zijn. De Fransen geloofden dit echter niet en besloten 'The Madonna of the Limp' met ijzerdraad en touw aan de toren vast te sjorren om zo hun cultuurgoed te behouden. Tijdens hun Lenteoffensief van maart 1918 namen de Duitsers de stad in. De toren van de kerk was een ideaal observatiepunt om het vuur van hun kanonnen bij te sturen. De Britten wisten dit, want ze hadden op deze manier zelf volop gebruikgemaakt van de toren. Het gaf hun het excuus waar ze al lang op hadden gewacht: eindelijk konden ze zonder de Fransen voor het hoofd te stoten de Maagd van de kerk 'verwijderen'.

Al snel kwam de ene Britse granaat na de andere op de kerk terecht, de toren werd vernietigd en het beeld viel te pletter op het kerkplein. De voorspelling kwam uit, enkele maanden later was de oorlog voorbij.

Het beeld is nooit teruggevonden, maar het is niet onwaarschijnlijk dat het door de Duitsers als schroot werd afgevoerd om te gebruiken in hun munitiefabrieken.

De basiliek kreeg tijdens de oorlog naar schatting zo'n tweeduizend granaten te verwerken en er was dan ook niet veel meer dan een ruïne van over. Na het neerleggen van de wapens werd het gebouw volgens originele bouwtekeningen herbouwd. Korte tijd woedde er een felle discussie of ook het nieuwe beeld van Maria met Kind horizontaal op de kerk moest komen te staan, maar uiteindelijk werd anders besloten. Van het mysterieuze stenen beeldje is na de oorlog niets meer vernomen.[72]

De mythe van de 'Maagd van de Kreupelen' kwam uit. Een andere mythe niet, maar het verhaal is te curieus om niet in dit boek op te nemen. Het was voorjaar 1916 in het *Dagblad van Noord-Brabant* te lezen: 'Een profetische kerkklok ergens in de Pyreneeën, die drie maanden vóór het einde van den Krimoorlog en drie maanden vóór het einde van den Fransch-Duitschen oorlog uit den klokkestoel naar beneden zou zijn gevallen, viel dezer dagen zonder merkbare oorzaak omlaag. De streekbewoners zijn er zeker van dat de vrede nu niet langer dan drie maanden kan uitblijven.'

Hoop doet leven, zeker in benarde tijden...

Vlaanderen was vooral in april het strijdperk van bloedige gevechten. Ook hier boekten de Duitsers successen. Het gebied dat de Britten bij Ieper in 1917 na bijna vier maanden van onmenselijke strijd hadden ingenomen, werd in drie dagen tijd heroverd.

H.G. Moolenburgh beschrijft in zijn boek *Engelen* een verhaal dat volgens hem onder de naam 'Het Wonder van de Witte Cavalerie van Yperen' in de annalen is opgenomen en onmiskenbaar een treffende gelijkenis vertoont met de Engelen van Mons. Hij vertelt hoe de Duitsers, na een zware inleidende granaatbeschieting, optrokken naar de Engelse stellingen ten zuidoosten van Rijsel (Lille). Van het ene moment op het andere echter sloeg de opmars van de Duitsers om in een ongecontroleerde vlucht. Dit tot verbazing van de Engelsen, die een hevige strijd hadden verwacht.

Patrouilles werden uitgezonden en deze namen een aantal Duitse officieren gevangen. Deze krijgsgevangenen vertelden een verbazingwekkend verhaal: op het moment dat ze op wilden rukken zagen ze tegenover zich een in het wit gekleed ruiterleger. Voorop reed een grote man met goudblond haar en een aureool rond zijn hoofd. Aanvankelijk werd door de Duitsers gedacht dat het Marokkaanse ruiters waren, maar ondanks een hevige granaat- en kogelregen bleek het niet mogelijk iemand van de nieuw verschenen tegenstander uit te schakelen. Het vuur had er eenvoudigweg geen vat op.

De Duitse aanval ging over in een wilde vlucht. Ook Duitsers die de volgende dag gevangen werden genomen vertelden dit verhaal; aan Engelse zijde was vreemd genoeg niets buitengewoons waargenomen. Het tijdstip van de gebeurtenis is door Moolenburgh niet beschreven, maar het is waarschijnlijk dat het zich heeft afgespeeld in de lente van 1918.[73]

In zijn volgende boek *Een engel op je pad* gaat Moolenburgh nogmaals in op de 'Witte Cavalerie van Yperen'. Aanleiding is een brief die de schrijver ontving van een Duitse vrouw. Ze vertelt hoe haar vader maandenlang als soldaat in de ondergelopen loopgraven bij Ieper had doorgebracht. Volgens haar vader hadden alle soldaten die 'de Witte Cavalerie' hadden aanschouwd last gehad van tijdelijke blindheid; de ogen hadden echter geen blijvende schade opgelopen en na een tijdje kon iedereen weer zien.[74]

,In het driemaandelijkse tijdschrift *This England* van winter 1982 is de getuigenis opgenomen van Kapitein Cecil Wightwick Hayward, tijdens de oorlog stafofficier van het 1ste Corps Intelligence, British Army Headquarters. Zijn verhaal lijkt het door Moolenburgh gepubliceerde verhaal te bevestigen. Captain Wightwick Hayward was verantwoordelijk voor de militaire inlichtingendienst van het gebied tussen Bailleul (ongeveer vijfentwintig kilometer ten zuiden van Ieper) en Arras (ongeveer vijfentwintig kilometer ten zuiden van Bethune). Zijn hoofdkwartier was in Bethune (Frankrijk). In *This England* vertelt hij hoe in maart 1918 een Portugese legerafdeling door Bethune trok om stellingen ten noorden van het stadje over te nemen. Ze losten daar moegestreden Britten af, maar bij de eerste massale Duitse beschieting sloegen de Portugezen al op de vlucht, waardoor een gat in de frontlijn ontstond. De oprukkende Duitse infanterie maakte van de geslagen bres gebruik en rukte in groten getale op. Als de Duitsers niet konden worden tegengehouden bestond de mogelijkheid dat Parijs zou worden ingenomen en dat de oorlog voor de Britten verloren zou gaan.

De Britse natie, die het wonder van de Engelen van Mons niet was vergeten, werd wederom opgeroepen tot nationaal gebed. De Amerikaanse president Wilson vroeg zijn volk hetzelfde te doen. Bethune was ondertussen doelwit geworden van zeer zware vijandelijke beschietingen. Wightwick Hayward beschrijft dat hij tot zijn verwondering zag hoe Duitse granaten opeens massaal op een braakliggend stuk grond neerkwamen. Hij vroeg zich af wat het doel kon zijn van deze beschieting, want daar waar de explosies de aarde openscheurden was niets aanwezig wat enige strategische waarde had. Er stond geen huis, geen boom en er was geen soldaat aanwezig. Even plotseling als dat het bombardement begonnen was hield het ook op. Een vreemde stilte kwam ervoor in de plaats. Tot hun werkelijk stomme verbazing zagen de Britten tegelijkertijd hoe de opmars van de onoverwinnelijk lijkende Duitse troepen overging in een wilde vlucht.

De Britten, die de vluchtende Duitsers achtervolgden, namen honderden krijgsgevangenen. Een ervan, een wat oudere Pruisische officier, vertelde wat er volgens hem gebeurd was: '"Herr Hauptmann," zei mijn luitenant, "kijk eens naar dat open gebied achter Bethune. Daar, tussen de rookwolken, komt een cavaleriebrigade aan. Ze lijken wel gek, die Engelsen, om in het open veld op te rukken tegen zo'n strijdkracht als de onze. Ik denk dat het de cavalerie uit een van hun koloniale legergroepen is, want ze dragen witte uniformen en rijden op witte paarden." "Vreemd," zei ik, "ik heb nog nooit gehoord van Britse cavalerie in witte uniformen, koloniaal of niet. Ze hebben jarenlang allemaal te voet gevochten en ze droegen altijd kaki, geen wit." "Ze zijn duidelijk genoeg," antwoordde de luitenant, "kijk, onze kanonnen hebben ze nu in het schootsveld. Ze zullen in korte tijd in stukken uiteengereten worden."

We zagen hoe de granaten tussen de paarden en hun berijders explodeerden. De ruiters bleven rustig dravend voorwaarts komen, in een formatie als bij een parade, iedere man en ieder paard op zijn eigen plaats. Kort daarna openden onze mitrailleurs een zwaar vuur, de oprukkende cavalerie kreeg een intensieve hagel van lood te verduren. Maar ze bleven oprukken ondanks de granaten die met toenemende woede tussen hen in uiteen bleven spatten. Geen enkele ruiter en geen enkel paard viel. Gestadig bleven ze vooruitkomen, helder in de schijnende zon. Een paar passen voor hen reed hun leider. Een verfijnde gedaante wiens haar, als gesponnen goud, in een aura rond zijn blote hoofd hing. Op zijn zij hing een groot zwaard en zijn handen hielden de teugels vast terwijl zijn dienstpaard hem trots voorwaarts droeg. Ondanks de hevige granaatbeschieting en het zware mitrailleurvuur bleef de Witte Cavalerie naderen, meedogenloos als het noodlot, als een opkomend tij dat een weg zoekt over een zanderig strand.

Toen werd ik heel erg bang. Ja ik, een officier van het Pruisische leger, vluchtte in blinde paniek en om me heen waren honderden doodsbange mannen, jankend als kinderen, die hun wapens en uitrustingsstukken wegwierpen om niet in hun bewegingen gehinderd te worden. Iedereen rende. Hun allesomvattende verlangen was om weg te komen van de naderende Witte Cavalerie, maar nog het meest om weg te komen van de ontzagwekkende leider. Dat is alles wat ik te vertellen heb. We zijn verslagen. Het Duitse leger is gebroken. Ze mogen dan nog wel doorvechten maar de oorlog is verloren. We zijn verslagen door de Witte Cavalerie, ik kan het niet begrijpen.'

Gedurende de volgende dagen ondervroeg kapitein Cecil Wightwick Hayward, volgens eigen zeggen, vele gevangenen en hun verklaringen waren identiek aan de verklaring van de

Pruisische officier. Vreemd genoeg had geen enkele Britse militair ook maar een enkele ruiter of een enkel paard van de Witte Cavalerie waargenomen.[32]

Uiteindelijk liepen de Duitsers ook in Vlaanderen vast op door de Britten en Fransen inderhaast opgeworpen versterkingen. Voor het laatst lieten de Duitsers op 27 mei 1918 bij de Chemin des Dames zien waartoe ze in staat waren, een week later stonden ze aan de Marne en nu, tijdens de Tweede slag aan de Marne, lukte wel de rivier over te steken. De kracht was echter definitief uit het Duitse Lenteoffensief. De aanvoer van munitie, voedsel en andere voor oorlogvoering belangrijke zaken begon moeilijkheden te ondervinden. De soldaten waren door de lange maanden van strijd oververmoeid geraakt en het moreel zakte langzaam in. Na juni werden niet meer dan wat kleinere aanvallen uitgevoerd, de 'Schwung' was uit de Duitse soldatengeest.

Defilé van Amerikaanse troepen in Londen

De Duitsers hadden de strijd tegen de tijd verloren. Scheepslading na scheepslading Amerikaanse militairen werd in Europa aan land gezet. De Fransen en Britten hadden zich hergroepeerd, en langzaam maar zeker werden de Duitsers overal aan het front teruggedrongen. In september waren ze ruwweg weer terug op de lijn waar ze op 21 maart hun grootscheepse aanval begonnen. Maar ook hier, bij de goed doordachte Hindenburglinie, was het niet langer mogelijk stand te houden. Belgische troepen slaagden erin de bossen bij Houthulst te bevrijden en namen Brugge en Gent in.

Op 4 oktober verzochten de Duitsers de Amerikaanse president om een wapenstilstand onder voorwaarden. De Duitse gevechtskracht was behoorlijk afgenomen, maar de Duitsers waren nog niet verslagen.Een vrede met voor Duitsland gunstige condities was nog mogelijk. Met name de novemberrevolutie in Duitsland, die ervoor zorgde dat essentiële zaken als voedsel, munitie en materieel niet langer naar het front werden verzonden, deed het Duitse leger de das om. Op 10 november 1918 kwamen Duitse afgevaardigden met de geallieerde legerleidingen overeen dat vanaf 11 november om 11.00 uur een onvoorwaardelijke wapenstilstand zou ingaan. Maar zelfs op de laatste dag van de oorlog, terwijl bekend was dat binnen enkele uren de wapens zouden zwijgen, ging het vechten door. Tot op het laatste moment werd geprobeerd zoveel mogelijk tegenstanders uit te schakelen en terreinwinst te boeken.

Er is een verhaal bekend van een Duitse mitrailleurschutter die tot precies 11 uur gericht bleef doorvuren op zijn tegenstanders. Toen stond hij op, nam zijn helm af, boog voor zijn publiek en liep weg…

De Amerikaanse oorlogscorrespondent Edwin L. James was ooggetuige van het einde van de oorlog en schreef in de *New York Times*: '11 november – Ze staakten de gevechten deze morgen om 11 uur. Ineens, vier jaar van doden en slachten stopte, alsof God met zijn almachtige vinger over het landschap van het wereldbloedbad had geveegd en had uitgeroepen: GENOEG!'

Op 11 november 1918 werd in heel Europa feestgevierd, maar bij de familie van Wilfred Owen, een Engelse dichter die tijdens de oorlog zijn bekendste werk schreef, trad op deze dag de rouw in. Per post werden de ouders op de hoogte gebracht van het sneuvelen van hun zoon op 4 november, precies een week voor de wapenstilstand. Wilfred Owen verafschuwde de oorlog maar liet een kans op afkeuring voorbijgaan omdat hij vond dat zijn plaats tussen zijn strijdende kameraden was. Hij diende als officier bij de landmacht, in het Manchester Regiment, en werd vijfentwintig. Owen ontving het Military Cross voor uitzonderlijke dapperheid tijdens gevechten.

De broer van Wilfred Owen, Harold, diende tijdens de oorlog als marineofficier. Begin december 1918 voer hij voor de kust van Afrika. Hij was nog niet op de hoogte gebracht van het overlijden van Wilfred toen hij zijn broer in een stoel in zijn hut zag zitten. Harold sprak Wilfred aan, maar deze antwoordde niet. Wilfred, gekleed in zijn landmachtuniform glimlachte slechts en leek niet tot spreken in staat. De ontmoeting tussen beide broers duurde maar kort. Nadat Harold een fractie van een seconde de andere kant uit had gekeken, was Wilfred verdwenen, een verbijsterende Harold achterlatend.

Harold Owen had geen enkele twijfel: Wilfred was overleden en had door zijn verschijning afscheid willen nemen en een laatste groet gebracht. Het duurde langer dan een week voordat een brief van zijn ouders het verlies van zijn broer bevestigde.[75]

Het graf van Wilfred Owen bevindt zich op de gemeentelijke begraafplaats van Ors, niet te verwarren met het Ors British Cemetery een paar kilometer verderop. Ors is een dorpje tussen Le Cateau en Landrecies in het noorden van Frankrijk.

Tijdens de oorlog sneuvelden tien miljoen militairen, drie miljoen werden vermist en meer dan twintig miljoen raakten min of meer ernstig gewond. De soldaten die het slagveld hadden overleefd droegen afschuwelijke herinneringen mee. Een luisterend oor vonden ze niet, het begrip oorlogstrauma was nog onbekend, en de mannen leerden te zwijgen.

Door de oorlog stierven dertien miljoen burgers, honderdduizenden waren verdreven van huis en haard en op de vlucht. En
dan zijn in deze afschuwelijke cijfers nog niet eens de anderhalf
miljoen Armeniërs opgenomen die tijdens de oorlog in Turkije
werden afgeslacht. De Turken hadden van de wanorde in de
wereld gebruikgemaakt door zich systematisch van deze christelijke bevolkingsgroep te ontdoen.

Frankrijk, Groot-Brittannië en Duitsland stonden aan de rand
van een bankroet. Niall Ferguson, een historicus gespecialiseerd
in economie en als professor verbonden aan de universiteit van
Oxford, berekende voor zijn boek *The Pity of War* (pagina's 337-
338) dat Groot-Brittannië 36.485 (toenmalige) dollar en 48 dol-
larcent betaalde per gesneuvelde Duitser. De Duitsers waren een
stuk goedkoper uit: zij betaalden $11.344,77 per gesneuvelde
Brit.[76] Frankrijk had volgens een andere bron zoveel aan de oorlog betaald, dat het land voor hetzelfde geld iedere inwoner een
gemeubileerde tweekamerwoning in Parijs had kunnen geven.

In Frankrijk, Duitsland en Groot-Brittannië was een groot deel
van een generatie krachtige jonge mannen verdwenen. Lange tijd
stierven er, ook na de oorlog, meer mensen dan er geboren werden.

De door Charles Russell voorspelde dodelijke plaag, in de vorm
van de Spaanse griep, greep om zich heen en eiste de levens van
nog eens twintig miljoen mensen. Het virus had jarenlang geslui-
merd bij varkens voordat het op mensen overging... Europa
kende hongersnood.

De wereld was een chaos en zou nooit meer dezelfde worden. De
koningshuizen van Oostenrijk, Duitsland en Rusland waren
gevallen. Veel grenzen werden opnieuw getrokken en landen
werden opgedeeld, verdwenen of ontstonden.

Op 11 november 1918 was de vrede 'uitgebroken', maar kort
daarna werd de basis gelegd voor een nog groter conflict. Van vre-

desonderhandelingen was geen sprake en Duitsland werd gedwongen de bepalingen van 'das Diktat von Versailles' te aanvaarden. Het land voelde zich hierdoor dermate vernederd, dat het wel gevolgen voor de toekomst moest hebben. Duitsland was niet alleen op de knieën gedwongen, maar ook economisch stukgemaakt. Adolf Hitler en consorten maakten handig gebruik van de in Duitsland levende gevoelens en de economische malaise van het land. De gevolgen hiervan kennen we.

De Belgische kapelaan Verschaeve, ideologisch voorman van de Vlaamse Beweging, schreef al op 11 juni 1915, toen zijn land ten offer was gevallen aan de Duitsers: 'Ik denk en denk maar steeds over de oorlog na en dompel steeds in dikker duisternis; ik verlang naar en vrees voor de vrede; 'k heb een voorgevoel van schrikkelijke stuipen, waar Europa jarenlang zal aan lijden eer er een nieuwe orde daagt, van welke aard? 'k Verwacht een geweldig dooreenwoelen van geestesstromingen en een schrikkelijk gedachtenkamp.'[77]

HOOFDSTUK 27

De Hopi-indianen vinden bevestiging

V oor de Hopi-indianen was het uitbreken van de Eerste Wereldoorlog een bevestiging van wat ze wisten dat zou gaan gebeuren. Deze in Arizona (USA) levende indianenstam kreeg van de Grote Geest, hun god die ze Maasauu noemen, wetten te horen. Deze wetten zijn een soort uitleg voor een juiste levenswijze. Dit Hopi-levensplan legde Maasauu vast door middel van een inscriptie in een rots. De inkerving staat bij de indianen bekend onder de naam Dangave en bevat een uitleg over het verleden, maar ook over de toekomst. De rots met de eeuwenoude inscriptie is te zien in het dorpje Oraibi in het Hopi-reservaat (district 6 te Arizona).

De Hopi-symbolen voor de Eerste en Tweede Wereldoorlog

In de Dangave is sprake van drie grote, wereldomvattende rampen, de laatste zal definitief zijn en de wereld vernietigen. De eerste ramp wordt gesymboliseerd door een symbool dat een verbluffende gelijkenis vertoont met het Duitse ijzeren kruis. De Hopi-indianen zijn er dan ook van overtuigd dat de Eerste Wereldoorlog de eerste wereldomvattende ramp was.

Nog vreemder, en overtuigender, wordt het als we kijken naar het symbool van de tweede ramp: het is een combinatie van het hakenkruis en het Japanse symbool van de rijzende zon. De Hopi's kennen dan ook geen twijfel: de Tweede Wereldoorlog was de tweede ramp die de mensheid zou treffen.

Voor de derde, allesvernietigende ramp staat een halve cirkel symbool. De vernietiging zal veroorzaakt worden door mensen met rode mantels of rode mutsen. Wie dat zullen zijn is ook de Hopi's nog onbekend.[78]

HOOFDSTUK 28

Adolf Hitler en de Heilige Lans

Tijdens de Eerste Wereldoorlog had Adolf Hitler voor zichzelf de zekerheid gevonden dat hij voorbestemd was voor
grote daden. Vier jaar lang had hij, tegen de verwachting in, weten
te overleven. Dit ondanks het feit dat hij een levensgevaarlijke
taak als ordonnans had gehad. Na de wapenstilstand kon hij gestadig gaan werken aan wat hij als zijn roeping beschouwde.

Het was professor Karl Haushofer, een man die bij de nazi-top in
hoog aanzien stond, die Hitler zou uitleggen hoe de kwade
machten van de Lans hun invloed konden uitoefenen op de
menselijke geschiedenis. Direct na de 'Anschluß' van Oostenrijk
op 12 maart 1938, waardoor het land onderdeel werd van nazi-
Duitsland, hadden SS'ers zich met spoed naar de Hofburg van
Wenen begeven om het bezit van de Heilige Lans veilig te stellen. Tot het laatste moment was Hitler bang geweest dat iemand
anders de Lans van het Lot voor zijn neus zou wegkapen. Een
paar dagen later stond de Führer alleen in de ruimte waar zijn
nieuwe talisman lag. Eindelijk kon hij het relikwie in zijn handen
houden en waren er geen lastige suppoosten die hem op de vingers keken. De uitstraling van de Lans maakte dat hij zich sterker
dan ooit voelde. Vanaf dat moment was hij krachtig genoeg om
openlijk naar de wereldheerschappij te streven…

Op aanraden van professor Haushofer liet Hitler op 13 oktober

1938 de Heilige Lans vanuit Wenen overbrengen naar Neurenberg, het nazi-zenuwcentrum, zodat de krachten optimaal over het Derde Rijk uit konden stralen. Samen met andere antiquiteiten en wonderlijke religieuze relikwieën werd de Lans van Longinus tentoongesteld in de St. Katherine Kirche. Drommen mensen bekeken de tentoongestelde, zwaarbewaakte, goederen.

Toen enkele jaren later de bommenwerpers van de Britse RAF ook doordrongen in het luchtruim boven Neurenberg, raakte de St. Katherine Kirche zwaar beschadigd. De Lans werd tijdelijk overgebracht naar de zware kluis van de Kohns Bank, om vervolgens in het diepste geheim in de gewelven van de stad te worden opgeborgen.

Op 30 april 1945, vlak voor twee uur 's middags werd de Lans door Amerikaanse troepen gevonden. Dezelfde dag, om halfvier pleegde Hitler, samen met zijn vrouw Eva, zelfmoord. Het bezit van zijn talisman was in Amerikaanse handen overgegaan. De Amerikanen waren op dat moment op het toppunt van hun macht en stonden op het punt hun atoombommen op Hiroshima en Nagasaki te werpen.

Op 6 januari 1946 werd de Heilige Lans van Longinus, samen met de andere Reichsheiligtümer en Reichsinsigniën, overgedragen aan de burgemeester van Wenen. Dit onder luid Duits protest...[13]

De Lans van Longinus ligt nu in de Schatzkammer van de Hofburg aan de Schweizerhof te Wenen en is iedere dag, behalve zondag, te zien vanaf 10.00 tot 18.00 uur. De toegang is gratis.

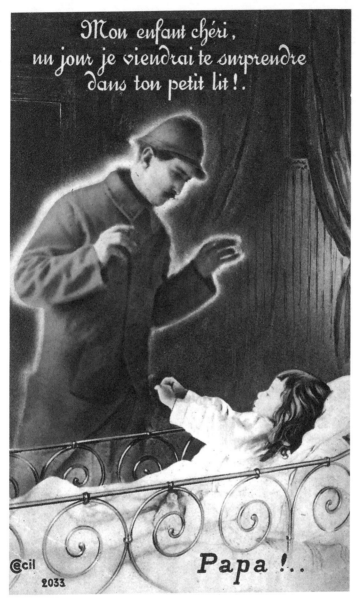

Franse prentbriefkaart

DEEL 2

De oorlog die niet eindigde

Inleiding

Het einde van de gevechten op 11 november 1918 om 11.00 uur betekende niet een einde aan de wonderbaarlijke verschijnselen die zich op en rond het slagveld voordeden. Ook nu nog, ruim tachtig jaar na de oorlog, voelen veel bezoekers van het oude westfront dat de grond die ze betreden bijzonder is. Veel van de mensen die ik sprak, of die me schreven, hadden het over een pelgrimage toen ze over hun bezoeken aan het gevechtsterrein van '14-'18 spraken. Sommigen vertelden dat ze 'Heilige Grond' hadden bezocht. Hun tocht over de slagvelden was (bijna) een religieuze ervaring. Persoonlijk ben ik ervan overtuigd dat het leed dat zich op die plaatsen zo massaal voordeed wel haast sporen moet hebben achterlaten. Daar waar honderdduizenden stierven op relatief kleine gebieden zoals bij Ieper, Verdun, Chemin des Dames of aan de Somme moet wel iets zijn blijven hangen.

Op het voormalige strijdperk bij Verdun bijvoorbeeld ligt nog steeds zo'n twintig tot dertig ton aan oorlogsmateriaal per hectare, menselijke resten niet meegerekend. Wandelend door de omgeving zie je wat oorlog teweegbrengt: de grond is geschonden door de miljoenen uiteengespatte granaten en overal liggen blindgangers. Regelmatig maken deze niet-ontplofte explosieven hun slachtoffers en jaarlijks sneuvelen in Frankrijk een aantal toeristen. Verzamelaars zoeken er nog altijd naar helmen, geweren en

De voormalige slagvelden zijn in feite grote kerkhoven. De stoffelijke resten van een in 1997 door een Nederlandse toerist in de buurt van Verdun opgegraven Duitse soldaat. Walther Stephan uit Berlijn kreeg een waardige herbegrafenis op een militaire begraafplaats (foto Eric Taal)

andere macabere souvenirs. Nog in de zomer van 1998 vond ik stukjes menselijke knekel vlak bij een bunker in het Bois des Caures, een toeristische trekpleister die ondertussen door honderdduizenden belangstellenden is bezocht.

Maar er is meer; er zijn ook overblijfselen in niet-materiële zin. Twee paragnosten vertelden me, zonder dat ze het van elkaar wisten, dat veel van de soldaten die slachtoffer werden van de oorlogswaanzin nog steeds niet weten, of willen accepteren, dat ze gevallen zijn. De mannen die sneuvelden waren over het algemeen jonge jongens vol met toekomstplannen, die in een situatie terechtkwamen waarin de primaire drang tot overleven de andere gevoelens vrijwel geheel overschaduwde. Veel van hen willen eenvoudigweg niet aanvaarden dat hun jonge leven een wreed en veel te vroeg einde kende.

En inderdaad, als ik over de slagvelden loop komt vaak de gedachte bij me op dat ik niet alleen ben en word gadegeslagen. Een enkele keer voelde ik me zelfs begeleid tijdens mijn wandeling. Dit besef niet alleen te zijn dwingt me tot zuiverheid, tot het met respect betreden van de met leed doordrenkte grond. Ik ben me er altijd terdege van bewust dat de slagvelden van de Eerste Wereldoorlog in feite grote begraafplaatsen zijn. De aarde ligt er nog bezaaid met de resten van ontelbare nooit teruggevonden mensen die daar schreeuwend ten onder gingen en nog niet wilden sterven.

Slechts één keer werd me duidelijk dat ik niet welkom was en ik besloot zo snel mogelijk te vertrekken. Maar meestal heb ik het gevoel dat ik ergens op bezoek ben waar de gastheren zich weinig van me aantrekken. Af en toe ben ik echt welkom. Alsof dan begrepen wordt dat ik me min of meer gedwongen voel aan duizenden lezers het verhaal van de oorlog te blijven vertellen, zo puur mogelijk. En er op die manier voor zorg dat ze niet worden vergeten.

Ik ben niet de enige die dergelijke gevoelens heeft. Zelfs de meest nuchtere mens kan zich op het voormalige slagveld meestal niet onttrekken aan de gedachte dat hij zich ergens bevindt waar nog steeds iets aan de hand is, waar iets ontastbaars wezenlijk aanwezig is. Noem het voor mijn part 'iets magisch'.

Overigens wil ik graag van de gelegenheid gebruikmaken om ook in dit boek te waarschuwen voor het verzamelen van oorlogsmaterieel op het voormalige gevechtsterrein van de Eerste Wereldoorlog. Vaak wordt gedacht dat de granaten die her en der te vinden zijn door hun ouderdom minder gevaarlijk zijn geworden. Dit is een ernstige denkfout, het spul wordt alleen maar instabieler en dus gevaarlijker. Bovendien kunnen verzamelaars van dergelijke souvenirs in Frankrijk rekenen op bijzonder strenge straffen. Er is een verhaal bekend van een Duitser die, in de buurt van Verdun, op zoek ging naar explosieven. Toen hij van zijn laatste strooptocht terugkwam, stond de Franse politie hem op te wachten. Hij werd door hen verzocht zijn kofferbak te openen. Daar troffen ze een enorme hoeveelheid granaten aan. Na contact te hebben opgenomen met hun meerderen werd besloten de explosieven 'ter plekke' te vernietigen. Veel Fransen lopen bepaald niet over van liefde voor hun buurland en misschien dat dit een rol heeft gespeeld, maar hoe dan ook: er werd een ontsteker aangebracht en met een flinke knal vloog de dure Mercedes in de lucht. De eigenaar ervan kreeg bovendien nog een forse boete die, zoals gebruikelijk is voor buitenlanders die Frankrijk bezoeken, direct diende te worden voldaan.

Tijdens het afronden van dit boek heb ik het manuscript aan veel vrienden, kennissen en geïnteresseerden laten lezen. Het bleek dat bij menigeen het idee opkwam om een aantal van de besproken plekken te bezoeken. Daarom heb ik voor het tweede deel van Mysterie 14/18 kaartjes laten maken. Met behulp van bijvoorbeeld een Michelinkaart is het daardoor mogelijk om nauwkeurig de plaatsen, waar de wonderbaarlijke gebeurtenissen plaatsvonden, te lokaliseren en dus te bezoeken.

HOOFDSTUK 1

Hikken in de tijd

V eel mensen vertelden me geesten te hebben aangetroffen op of bij de voormalige slagvelden van de Eerste Wereldoorlog.

De beroemde natuurkundige Albert Einstein beschreef in zijn relativiteitstheorie de vierdimensionale ruimte waarin wij ons bevinden. Als deze theorie consequent wordt toegepast zou het bijvoorbeeld mogelijk zijn om na een lange reis met hoge snelheid, in ruimte en tijd, in het verleden terecht te komen. Tijd zoals wij die kennen is relatief en Einstein wees er als eerste op dat het verloop van tijd verstoord zou kunnen worden door gebeurtenissen waarbij veel energie, in welke vorm dan ook, vrijkomt. Het verleden zou door een waarnemer in het heden gezien kunnen worden als aan bepaalde voorwaarden is voldaan, als een soort hik in de tijd. Het lijkt erop dat ons hierdoor zo nu en dan een blik wordt gegund op een wereld die zich parallel aan de onze bevindt.

In *A Casebook of Military Mystery* van Raymond Lamont Brown staat een gebeurtenis die een voorbeeld is van wat een 'hik' in de tijd zou kunnen zijn. Het is het vreemde verhaal van de schrijver en soldaat Wentworth Day. In november 1918, kort na de wapenstilstand, liep hij samen met korporaal James Bar van de 298ste Krijgsgevangenen Compagnie wat te snuffelen in een vervallen herberg in de buurt van Neuve Eglise (Frankrijk). Plotseling zagen ze een groep ulanen, Duitse verkenners te paard, gekleed in het uniform van 1914. Deze raakten in gevecht met een groepje Franse dragonders met glimmende borstplaten en gevederde helmen. De twee Britten zagen hoe lansen versplinterden en hoe de sabels glinsterden. Even plotseling als het beeld was gekomen verdween het ook.

Later bleek dat hier in augustus 1914 een dergelijk gevecht had plaatsgevonden. De graven van de gesneuvelde ruiters waren nog te vinden op het plaatselijke kerkhof.[1]

Een ander geval van wat een verstoring van de tijd zou kunnen zijn werd beschreven door Leonard de Soete uit Amstelveen. Samen met zijn vrouw bracht hij een bezoek aan een vervallen abdij in Frankrijk. Aan de ervaring die hij daar opdeed hecht hij volgens eigen zeggen weinig waarde, aangezien hij 'natuurlijk bevooroordeeld is door zijn kennis over de Eerste Wereldoorlog'. De Soete is lid van de Western Front Association Nederland, een vereniging die zich onder andere bezighoudt met het bestuderen van de Groote Oorlog.

Ongeveer 20 jaar geleden bezochten mijn vrouw en ik de ruïnes van de abdij van Vauclair nabij de Chemin des Dames gelegen achter de boerderij van Hurtebise. We zaten op een bank voor de ruïne. Er waren niet veel mensen daar in de omgeving: slechts enkele hengelaars aan de oevers van een meertje.

Plotseling had ik het gevoel dat ik mij te midden van een menigte bevond. Er was natuurlijk niets te zien en na enkele ogenblikken was dat gevoel weer verdwenen. Het was niet bedreigend of beangstigend en ik zou er verder geen aandacht aan hebben besteed als mijn vrouw op dat moment niet hetzelfde gevoel zou hebben gehad. Dit kwam later toevallig ter sprake.

Tot op heden is deze ervaring het enige "bovennatuurlijke" dat we ooit hebben ondervonden en zoals eerder vermeld hecht ik er geen waarde aan. Een kennis van ons (Fransman en amateur-militaria-archeoloog) heeft ons wel herhaaldelijk verteld dat als hij in het veld of in de bossen bezig is met zijn metaaldetector en schep "de militairen over zijn schouder meekijken",' aldus een nuchtere Leonard de Soete.[2]

Tijdens een telefoongesprek[3] naar aanleiding van zijn brief vertelde De Soete dat het leek alsof hij zich te midden van een meute mensen bevond, soldaten uit de Eerste Wereldoorlog om precies te zijn.

Niet alleen door middel van ogen en oren worden aan het voormalige westfront buitengewone observaties gedaan. Het komt voor, bij mensen die er gevoelig voor zijn, dat ook de andere zintuigen zaken waarnemen die buiten het normale verwachtings-patroon liggen.

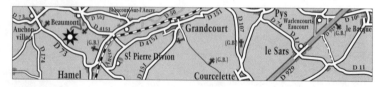

In 1976 verscheen de eerste druk van het door Rose E.B. Coombs geschreven boek *Before endeavours fade*. Dit boek werd een doorslaand succes en beleefde vele herdrukken. Het is een goede handleiding voor een bezoek aan het voormalige gevechtsterrein van '14-'18. Het werk is helder geschreven en degelijk van opzet, zonder veel poespas. Op bladzijde 84 (zesde editie) blijkt echter dat ook de anders zo nuchtere schrijfster eens overvallen werd door het 'onverklaarbare'. Vreemde gevoelens maakten zich van haar meester toen ze het gedenkteken van de 29ste Divisie te Beaumont Hamel bezocht: 'Aan de ingang van het park is het 29th Division Memorial en eromheen zijn de met gras bedekte loopgraven van het slagveld. Ze zijn bewaard gebleven zoals ze in 1918 zijn achtergelaten; door het feit dat latere slagen ze niet al te veel veranderden is het mogelijk de gevechten die hier plaatsvonden te bestuderen en te beoordelen. Zelfs op een fijne zonnige zomerdag ademt het park een bepaalde onheilspellende sfeer en na een donderbui rook ik er de afschuwelijke stank van de strijd in de nog steeds diepe loopgraven. Nergens anders kwam tijdens mijn vele reizen de verschrikking van de oorlog dichterbij dan hier op een heel warme avond na een heldere dag.

Het was laat in juli toen ik dwars over de door granaten verminkte hellingen op weg was naar de Duitse linies. Het geluid van de donder klonk in de verte, toen het langzamerhand dichterbij kwam leek het op een artilleriespervuur.

Het werd schemerig en zwarte wolken verzamelden zich boven mijn hoofd. Bliksemschichten doorkliefden de hemel, een echte reïncarnatie van hoe een spervuur eruit moet hebben gezien.

Toen de regendruppels begonnen te vallen dook ik in een van de loopgraven voor bescherming en ik struikelde en stuntelde verder totdat ik betere bescherming vond in de buurt van het Caribou Monument. Dit monument bewaakt het park vanaf een heuveltje boven op een bunker. Een kleine zaklamp gaf al het licht dat voorhanden was. Het gaf slechts weinig hulp in het ontwijken van de toevallig aanwezige granaathulzen en punten van stukken metaal die de loopgraven bevuilen.

Na de hete dag begon de gewoonlijke geur van het met regenwater doordrenkte gras tot mijn neusvleugels door te dringen… maar er was een verschil… Ik besefte dat dit de geur van de strijd was. Het was een ervaring om nooit te vergeten en tevens een die zich, als aan dezelfde voorwaarden was voldaan, herhaalde tijdens andere bezoeken die ik aan dezelfde plaats bracht.'[4]

De normale, door iedereen geaccepteerde wetenschap heeft merkbaar moeite met het soort verhalen en ervaringen die beschreven zijn in dit boek. De bijzondere gebeurtenissen laten zich niet eenvoudig herhalen, opmeten of vergelijken met wat de reguliere wetenschap kan aantonen aan de hand van de referentiekaders waarmee ze doorgaans werkt. Meestal is zelfs een honderd procent waterdichte identificatie van de beschreven fenomenen onmogelijk. Maar het feit dat iets niet in een wetenschappelijk kader kan worden geplaatst wil volgens mij nog niet zeggen dat iets niet bestaat of kan voorkomen. Maar leest u rustig verder, blijf u verbazen en vel zelf uw oordeel...

HOOFDSTUK 2

Vreemde krachten in voorwerpen

Plaatsen maar ook voorwerpen lijken het verleden te kunnen absorberen om het weer af te geven aan diegenen die er gevoelig voor zijn en ervoor openstaan. Het schijnt zo te zijn dat schokkende gebeurtenissen vast kunnen komen te liggen, als waren het video-opnamen, klaar om te worden afgespeeld door de juiste persoon die de gave heeft om min of meer als videospeler te fungeren.

René C. Verrycken uit Amsterdam bracht in oktober 1973, samen met een bevriend echtpaar en een vriend, een bezoek aan de voormalige slagvelden bij de rivier de Somme in Frankrijk. In de buurt van Bécordel–Bécourt ging hij met behulp van een metaaldetector op zoek naar overblijfselen uit de oorlog. Hij legde zijn

belevenissen vast in een brief: 'Na een zoekactie van een uurtje namen mijn vrienden een rookpauze. Zelf werkte ik op eigen houtje verder met mijn detector. Tot mijn apparaat aangaf dat er wat in de bodem zat. Ik haalde een zwaar gekartelde granaatscherf boven van zo'n 30 centimeter lang, 7 centimeter breed en

3 centimeter dik met aan een uiteinde een schroefrand. Op zich niet zo bijzonder. Er liggen daar duizenden van dergelijke scherven. Ware het niet…

Ik staarde naar de scherf in mijn handen. De detector had ik laten vallen. In mijn gedachten zag ik plotseling rondom me heen de explosies van de inslaande granaten en de neervallende lichamen van getroffen militairen. Eveneens zag ik in gedachten mensen die in stukken gereten werden door granaatscherven, zoals die ene, die ik in mijn handen hield.

Ik omklemde de scherf hoe langer hoe steviger.

Mijn vrienden die bijna honderd meter verder gepauzeerd hadden kwamen aanrennen en bekeken wat ik in mijn handen had. "Och het is maar een scherf. We dachten dat je iets heel bijzonders had. Je stond er al minstens een kwartier naar te kijken. Man, je bloedt helemaal. Heb je je hand eraan opengehaald?"

Ik staarde opnieuw naar de scherf. Ik hield hem zo vast omklemd, dat ik mijn hand aan de scherpe randen had opengehaald.

Ik haalde mijn schouders op; een beetje verlegen met de situatie. "Ach, een ongelukje."

De scherf heb ik nog steeds. Het vier centimeter lange litteken aan mijn rechterhand ook. Evenals mijn bijzondere en gevoelsmatig sterke binding met het Sommegebied.'[5]

De invloed van de Eerste Wereldoorlog op het leven van Verrycken strekt verder dan zijn belevenis bij de Somme. In de jaren tachtig raakte René overspannen. Volgens eigen zeggen doordat hij zich veel te veel werk op zijn hals gehaald had. Zo verloor hij tijdens een vergadering zelfs het bewustzijn en moest hij worden bijgebracht door de GGD. Door een arts werd hij vervolgens op non-actief gesteld. In dezelfde brief vertelt hij hoe hij Britse begraafplaatsen bezocht tijdens een excursie in de buurt van de Somme: 'Al mediterend en zittend tussen de graven van de Britse militairen kwam ik er tot rust. Eigenlijk een vreemd iets.

Na terugkomst in Holland vertrok ik, met toestemming van

bedrijfs- en huisarts, naar mijn familie in België. Om, als het weer het toeliet, mijn dagen al mediterend door te brengen op een Belgische begraafplaats van de Eerste Wereldoorlog. Uiteindelijk ging het weer goed met me. Ik heb deze eigen en merkwaardige vorm van geestelijke revalidatie nooit vernoemd bij mijn behandelende en controlerende artsen, om niet voor gek verklaard te worden.

Overigens had ik op een Britse begraafplaats aan de Somme op een gegeven moment gevoelens van een bepaalde lotsverbondenheid, dit gezien de louter toevallige "narrow escapes" die ik tijdens de oorlogen (Verrycken is een Korea-, Kongo- en Angola-veteraan en maakte als kind de Tweede Wereldoorlog mee) had gehad.

Merkwaardig genoeg beklemde het me niet. Het gaf me wel het idee om in extra ter beschikking gestelde tijd te leven.'[5]

René Verrycken had zijn bijzondere belevenis met de granaat-scherf terwijl hij zich midden op voormalig gevechtsterrein bevond. Jaap Kerkhoven uit Leiden zag in zijn woonplaats, ver weg van het slagveld, beelden die betrekking hadden op de Eerste Wereldoorlog en rook de bijbehorende geuren. Kerkhoven schreef erover: 'Ongeveer dertig jaar geleden overkwam me iets onverklaarbaars en zeer onaangenaams wat een onuitwisbare maar verwarrende indruk op mij maakte. Ik was toentertijd werkzaam als wetenschappelijk medewerker van het Nederlands Leger- en Wapenmuseum te Leiden. Dit museum bestond uit twee gebouwen, uit 1652 en 1874. Het gebouw uit 1652 is bekend als het "Pesthuis" en maakt nu deel uit van het Naturalis-museum. In de zeventiende en achttiende eeuw deed het dienst als ziekenhuis voor patiënten met een besmettelijke ziekte en als verpleeghuis voor armlastige zieken. Het is een groot gebouw dat in een vierkant rond een binnenplaats ligt en uit één verdieping bestaat met daarop lage zolders. In de dertiger jaren werd het samen met het gebouw uit 1874 als opslagplaats voor mobilisatie gebruikt en vanaf 1939 als onderkomen van het legermuseum.

Sindsdien herbergde het pand op de zolders de depots van het legermuseum en op de begane grond stonden de tentoongestelde kanonnen en transportmiddelen. Bezoekers waren schaars, personeelsleden klein in aantal. Op de depots waren een paar mensen ongeregeld bezig met inventariseren en werd er enig onderhoud gepleegd. Wij kwamen niet graag op de koude, schaars verlichte zolders met kleine dakvensters. De wind huilde en het gebinte kraakte er. Verschillende personeelsleden hoorden er soms voetstappen, soms zelfs gekerm en gehuil. Of speelde de wind hun verbeelding parten?

Ikzelf hoorde nooit iets, maar de bejaarde depothouder wel en deze bleef er heel nuchter onder.

Op een dag raakte ik in gesprek met een Indische collega die belast was met de inventarisatie en beschrijving van steek- en slagwapens uit Indonesië en Afrika. Hij vertelde me dat er een paar wapens waren, een kris en een knots, waarmee doodslag was gepleegd. Hij kon dat voelen en heel vaag had hij ook beelden van geweld gekregen. Ik heb die kris en die knots in mijn handen gehad maar niets gevoeld.

Op een zomermorgen, het was warm op de depots, inventariseerde ik een aantal stalen helmen uit de Eerste Wereldoorlog. Bij deze was een gebutste nogal verveloze Franse helm, een Casque Adrién, met een nogal verteerd binnenwerk. Het vreemde was dat ik bij het ter hand nemen ervan een eerst zwakke en daarna toenemende, hoogstonaangename stank rook van open latrines en een stilstaande sloot. Terwijl de stank steeds erger werd leek het alsof het binnen in de helm aan het woelen ging, een ronddraaiende bruine lava die naar beneden kolkte en heel diep beneden kon je vage beelden van onbestemde aard zien. Ik kreeg het benauwd en zette die helm met de bodem omlaag in een doos. Er gebeurde niets. De stank verdween en ik herkreeg mijn evenwicht. De krissenspecialist was er niet dus hield ik die vreemde sensatie voor me. Een paar dagen later vertelde ik het de collega. Hij ging bij de doos staan waarin de helm lag en draaide hem om. Er was niets te zien, alleen dat versleten en ietwat verteerde binnenwerk. Geen stank, geen bruine lava. Maar hij geloofde me wél. Die helm is er nog steeds maar ik ben het zicht erop kwijt en wil het ook niet hebben. Twee verhuizingen sindsdien en talrijke restauraties... Nooit iets vreemds meer gehoord...'[6]

René Verrycken revalideerde geestelijk op de slagvelden, op Jaap Kerkhoven maakte een voorwerp diepe indruk. De 52-jarige Frits Scheffer uit het Noord-Hollandse Castricum lukte het deze zaken min of meer te combineren. Hij creëerde thuis een plek waar hij de voor hem heilzame sfeer van het oude Franse front kan ondergaan, al is het minder intens. In een brief die hij me augustus 1999 stuurde vertelde hij: 'Vijftien jaar geleden kwam ik in aanraking met sporen van de Eerste Wereldoorlog doordat ik een bezoek bracht aan het torentje van Schagen waarin het Somme-museum van Sambo Lecoq was gevestigd. Sambo kon zeer geëmotioneerd vertellen over de slag aan de Somme en over het leed van de betrokken soldaten.
Ik werd er vanaf het eerste moment door geboeid en ook later bleef het me fascineren.
Na het eerste bezoek volgden er nog vele en de vriendschap met Sambo groeide. Wij (Sambo, een vriend van me die net zoals ik door de verhalen van Sambo geboeid raakte en ik) hebben vele malen een bezoek aan het gebied bij de Somme gebracht. Vanaf het eerste bezoek aan de Somme en later ook in Romagne sur Dun (in de omgeving van Verdun) kwam er een gewelddadige rust over me. Op de een of andere manier was ik thuisgekomen. En iedere keer opnieuw, tot op de dag van vandaag, kom ik er thuis en is er altijd weer die rust en het één voelen met de grond en de omgeving. Thuis heb ik met tastbare souvenirs (voorwerpen, boeken, foto's) en herinneringen een eigen omgeving gecreëerd waar ik alleen maar hoef te zitten en te kijken waarna diezelfde rust over me komt, al is deze rust minder intens dan in Frankrijk want het thuisgevoel ontbreekt.
Iedere keer als ik daar over de grond loop waar vier jaar lang in is geleefd en is doodgegaan, door de loopgraven en de bossen,

ervaar ik dat de lucht er dikker is en dat mijn gedachten terug-
gaan in de tijd. Je ziet het niet maar je voelt het wel. Het is een
vreemde gewaarwording dood en natuur zo in elkaar over te voelen gaan. Er staan bomen in bloei, de vogels zingen, de kevers
lopen over de aarde. Het krioelt er van het leven en tevens is het
er zo doods. Iets hangt er in de lucht en zit er in de grond. Maar
wat? Het lijkt wel of dit landschap zich afgezonderd heeft van de
rest. Je komt er zelf ook in een soort afzondering terecht. Iedere
keer als ik terugkeer naar huis heb ik het gevoel dat ik iets achter-
laat; een soort verdrietig heimwee.
Veel mensen kunnen dit niet begrijpen. Het valt ook niet uit te
leggen dat je zuiver tot jezelf kunt komen op grond waar zoveel
is geleden en gestorven.'[33]

Conny Buurman uit Doorn is, behalve journaliste en docente
kunstzinnige vorming, intuïtief schilderes. Geholpen door een
schildertechnische achtergrond maar nog meer vanuit haar
gevoel maakt ze haar schilderijen en ze krijgt daarbij soms hulp
van 'buiten'. Een foto die door een historicus is gemaakt in de
buurt van Verdun, een van de gruwelijkste slagvelden tijdens de
Eerste Wereldoorlog, bracht bij haar heel wat teweeg. Ze vertelt:
'Neergeslagen ogen, een machteloos hangende hand, gebogen
schouders... Dat mijn ontmoeting met schrijver-historicus Hans
Andriessen bij museum Huis Doorn een voor mij onverwachte
inspirerende wending zou krijgen had ik vooraf niet kunnen vermoeden. Als journalistiek medewerker bij een dagblad had ik
enkele interviews met Andriessen over zijn boek *De Andere
Waarheid*. Tijdens onze laatste ontmoeting laat Andriessen mij
authentieke foto's van de oorlog zien. De soldaten, de legerleiding, opgestapelde munitiebergen, slagvelden en loopgraven en
een foto van soldaten die vlak voor de strijd een maaltijd nutti-
gen zittend op de gereedstaande doodskisten. Hij laat ook foto's
zien van zijn recente bezoeken aan de imposante stellingen, slagvelden en loopgraven van Verdun. Nietsvermoedend blader ik het
fotomapje door totdat ik een foto tegenkom van een oplichten-

de donkere grot. Ik word als het ware de grot ingezogen en over-spoeld met niet te traceren gevoelens. Een ding weet ik zeker: ik moet deze foto hebben om te kunnen schilderen.

'De Grot', aquarel van Conny Buurman

Ik schilder al meer dan twintig jaar intuïtief met waterverf en geef daarin ook les in mijn atelier. Omdat ik veel aan huis gebon-den ben maak ik meestal gebruik van foto's en afbeeldingen die me op de een of andere manier raken. Deze afbeeldingen werken inspirerend en regelmatig ontstaan er afbeeldingen (soms onder-steboven) in de intuïtieve schilderingen. Ik noem dit "cadeau-tjes". Het zijn voor mijzelf en mijn leerlingen vaak beelden die op dat moment iets te vertellen hebben.
De foto van de grot staat al enkele weken op mijn atelier. Iets houdt me tegen om eraan te beginnen. Uit ervaring weet ik dat ik eerst wat afstand van sterk voelende emoties moet nemen, wat ruimte moet creëren, om datgene wat ik voel zuiver te kunnen

weergeven. De eerste streep waterverf op het natgemaakte papier zou een lange worsteling met een verrassende ontknoping worden.

Laag voor laag ontstaat de grot. Het kost moeite hem donkerder te maken, dieper, indigo-zwart. Ik kom mijn eigen duistere diepten tegen, maar er is meer. Het is net of er mensen zijn waar ik al schilderend tegen praat. Mannen, vrouwen... Ze staan als toeschouwers opgesteld bij de ingang van de grot.

Waar kijken ze naar? Met veel moeite laat ik de brokstukken stenen zijn en geen figuren. Op een gegeven moment heb ik het gevoel dat de schildering bijna klaar is, maar nog niet helemaal. Ik kijk er regelmatig naar, maar ik weet niet hoe ik verder moet. Op een avond ga ik ervoor zitten, concentreer me, maak me leeg. Als uit het niets verschijnt een figuur rechts op de lichtste plek van mijn schildering. Heftige gevoelens overspoelen me. Eerst verschijnt een gezicht, de ogen neergeslagen. Vervolgens een machteloos neerhangende hand, een stuk van een mantel. Al schilderend besef ik dat het een man is en, na enige tijd afstand genomen te hebben, een soldaat, een jongen nog gezien het prille geslachtsdeel dat verschijnt. Een jongen die in enkele momenten (wat is tijd?) een oude man is geworden. Wat heeft hij gezien? Wat heeft hij meegemaakt? Met zijn gebogen houding maakt hij een verslagen, maar ook berustende indruk. De naakte waarheid is slechts ten dele omhuld. Als een wachter staat hij bij de ingang van de grot. Is hij mijn grotwachter of is er meer?'[7]

HOOFDSTUK 3

Ontmoetingen op de slagvelden

E en spirituele uitleg van het fenomeen geestverschijningen is dat door de gigantische slachtpartij – die de Eerste Wereldoorlog was – het reïncarnatieproces van slag raakte waardoor veel zielen nog niet aan hun nieuwe leven konden beginnen. Anderen begonnen overhaast aan hun wedergeboorte, ze maakten een verkeerde keuze, hetgeen door de massaliteit van hun terugkeer gevolgen had voor de stabiliteit van de maatschappij waarin ze kwamen te leven. Gevolgen die nu nog steeds merkbaar zijn.

Door het werken aan dit boek, de vloedgolf van reacties die teweeg werd gebracht en mijn eigen bezoeken aan het voormalige westfront heb ik de stellige overtuiging gekregen dat 'dolende zielen' echt bestaan. Dit houdt volgens mij in dat de geest/ziel losstaat van het lichaam. Het lichaam wordt slechts gebruikt als een soort voertuig tijdens ons aardse bestaan. De dood van het lichaam betekent dus niet automatisch de dood van de ziel; het diepste wezen van de mens blijft voortbestaan.
Voor mij persoonlijk is het bestaan van geesten het bewijs van een leven na de dood en hoewel ik niet kerkelijk ben voel ik dit voortbestaan na de dood als een duidelijk teken dat er ook zoiets als een God moet bestaan. Het schrijven van dit boek bracht een duidelijke ommezwaai in mijn denken teweeg, een kentering die

ervoor zorgde dat ik bewuster ben gaan leven. Sommige soldaten die stierven tijdens de grote stammenstrijd, die de Eerste Wereldoorlog in feite was, weigeren hun sterven te aanvaarden of begrijpen het eenvoudigweg niet, ze blijven aanwezig op de plaats van hun lijden en voeren nog steeds hun strijd. Ze hebben niet de mogelijkheid om op eigen kracht aan de andere kant te komen. Alsof ze gevangenen zijn van hun eigen woede, verdriet, onmacht en angst. Alhoewel er ook positieve uitzonderingen zijn worden de meeste verschijningen van geesten door de toeschouwers als beangstigend omschreven. Laten we echter niet vergeten dat de dolende zielen van menselijke oorsprong zijn, met bijbehorende positieve en negatieve karaktereigenschappen. Wat wordt waargenomen zijn de geesten van mensen die na hun dood nog niet hun bestemming hebben gevonden. Ze bevinden zich in een schijnbaar uitzichtloze situatie en schreeuwen om hulp. En wat ze nog eens extra wanhopig maakt is dat niemand hen lijkt te kunnen helpen, ze voelen zich als een schreeuwende in de woestijn, wat ze in sommige gevallen woedend schijnt te maken.

De schrijfster/actrice Joellyn Auklandus uit Philadelphia (Pennsylvania), USA, voegde hieraan toe: 'Ze bestaan voort in eenzaamheid.'

Dezelfde Joellyn schreef over haar verblijf in Ieper in het voorjaar van 1992: 'Tijdens mijn verblijf in Ieper (in de nu gesloten hotellerie St. Nicolaas, G. de Stuersstraat 6) sliep ik erg kwakkelend, gedurende de nacht werd ik diverse keren wakker en voelde ik me bekeken. Er waren plekken in de kamer die donkerder waren dan elders (de kamer werd nooit erg donker omdat er licht van buiten naar binnen kwam), gevoelens alsof iemand me wat wilde zeggen maar geen woorden kon vinden. Wat het dan ook was dat me wakker maakte gaf me niet het gevoel kwaad te zijn, meer een gevoel van wanhopige angst en eenzaamheid. Het leek alsof de angstgevoelens golf na golf op me afkwamen. Het wezen probeerde niet mij bang te maken maar verkeerde zelf in een toestand van bijna tastbare angst en eenzaamheid, afschuwelijke eenzaamheid. Het best is zo'n eenzame ziel voor te stellen als iemand die al zo lang door een soort zware grijze mist loopt dat hij alle besef van tijd kwijtgeraakt is. Als hij dan eindelijk een ander tegenkomt, in dit geval mij, probeert hij om het even welk contact te leggen. Hij schreeuwt het uit maar heeft het gevoel dat zijn geluid in de mist verdwijnt nog voordat het andere wezen, waarvan hij de contouren ziet, het kan horen. Zo ongeveer moet het bestaan van dergelijke zielen zijn. Tijdens mijn verblijf op andere plekken aan het front was het gevoel een ontmoeting met dergelijke geesten te hebben nooit aanwezig, dus het was geen kwestie van mijn eigen fantasie.'[8]

Vijf jaar later, in maart 1997, had de toen 27-jarige Bill Colclough uit Niagara Falls (Ontario), Canada samen met een vriend een bijzondere ontmoeting: 'We hadden overdag Verdun bezocht maar het werd te donker om daar nog iets op de slagvelden te zien. We wilden naar het noorden en reden op een weg die op onze kaart, een Amerikaanse *AAA map of France*, met een drie was aangegeven. Deze weg leidde ons naar Clermont-en-Argonnes. Van daaruit namen we de D964 die ons ten noorden van Varennes bracht waarvandaan we de D998 namen in de richting van de militaire begraafplaats van de Verenigde Staten. Op het kerkhof aangekomen konden we niet veel zien omdat het te donker was. We verlieten de dodenakker en zagen in de verte de gedenktoren van Montfaucon en besloten daarnaartoe te gaan om er te pauzeren. Tijdens onze rit door het Franse landschap verloren we korte tijd het zicht op het monument. De reden hiervan was het golven van de weg tussen de heuvels in dat gebied. Het was een erg heldere avond en de maan scheen. Plotseling kruiste vlak voor onze auto een mensvormige witte schim, snel gevolgd door een tweede. Ze verdwenen in het veld links van ons. Ik wist dat ik wat had gezien maar mijn vriend vroeg me bovendien: "Heb je dat gezien?" Toen wist ik zeker dat ik niet zomaar iets gezien had maar dat er zich daadwerkelijk iets voor ons had bewogen. We waren beiden opgelucht dat de ander de verschijning ook had gezien maar onze tocht aan het westelijk front heeft hierdoor voor ons een geheel andere betekenis gekregen,' aldus Bill Colclough.[9]

Van een heel andere orde is het verhaal dat de theoloog prof. dr. H. Jonker beschreef in zijn boek *Sporen van een slag, een pelgrimage naar Verdun 1916*. Een belevenis die hij had in het Bois des Caures, een bos ten noorden van Verdun: 'Of is het wat anders?

Hier liggen mannen in het zand bedolven en begraven. Na de slag werden de lijken wel weggehaald, maar alleen daar waar een arm of been uit de aarde stak.
Soldaten die volledig werden begraven heeft men laten liggen en als "vermist" opgegeven. Het was toch onmogelijk om het hele bos open te leggen. Het gebied is eigenlijk één groot kerkhof. Ik

Commandopost in het Bois des Caures

ga op een omgevallen boom zitten. De duisternis van het bos brengt het verleden heel dichtbij. Verleden en heden vermengen zich... En plotseling gebeurde het. Het was alsof het bos ineens vol was met dansende figuren, schimmen met loshangende soldatenjassen aan en helmen op. Alles krioelde door elkaar heen. Ze botsten niet tegen elkaar op maar gingen dwars door elkaar heen als een filmtruc. Op een gegeven ogenblik verscheen er te midden van het gewoel een geraamte spelende op een viool. Maar ik hoorde geen geluid, alles verliep stil en plechtig, haast gewijd. De schimmen vormden als volgens afspraak een kring rondom het viool spelende geraamte en hielden een macabere rondedans, hand in hand. Ze leken in deze dodendans allen op elkaar. Er was geen onderscheid. Alleen de helmen verschilden, de helm met de Gallische hanenkam zweefde broederlijk naast de Pickelhaube. Er heerste een stille vrede, de vrede van de dood...

Ik sta op en keer met grote passen snel terug naar de lichtkring van de bunker, uit het spookachtige duister van het verleden naar het daglicht van het heden. Ik voel mij onbehaaglijk, wat beschaamd, het is alsof ik mij bemoei met zaken die mij niet aangaan, alsof ik loop op heilige grond die vreemden niet zomaar mogen betreden.'[10]

Professor Jonker was gegrepen door de enorme verschrikking die de Eerste Wereldoorlog teweeg had gebracht. Voor hem was de oorlog deel van zijn dagelijks leven. In zijn boek schreef hij over zijn interesse: 'Of is het de tragiek van jonge mensenlevens, mensen van leven en bloed, ook bemind en minnend, met relaties, verwachtingen en idealen, daar op het slagveld als drek weggeworpen? Het is zo aangrijpend dat ik er niet los van kan komen en er blijvend mee bezig ben, door mijn leven en dat van mijn tijdgenoten naast dat van hen te leggen.'[10]

De woorden van Jonker lijken bijna speciaal te zijn geschreven om te vertellen over het leven en de dood van de geest die zich regelmatig laat zien in een restaurant in het zuiden van Engeland. Kennelijk kunnen overledenen om allerlei redenen op aarde blijven hangen en zijn ze niet altijd gebonden aan de omgeving waar ze stierven. Althans, als we de makers van de documentaireserie *Ghosthunters* van Discovery Channel mogen geloven. In een aflevering ervan nemen twee paragnosten, zonder dat ze het van elkaar weten en op andere tijdstippen, een soldaat waar in een eeuwenoud pand in het dorpje Ingatestone (Essex, GB) dat dienstdoet als bakkerij annex restaurant.

Eddie Burks, volgens Discovery Channel een medium met internationale faam, is het meest expliciet van de twee. Hij vertelt hoe hij een in het kaki geklede soldaat ziet die tijdens de Eerste Wereldoorlog in Frankrijk sneuvelde. Direct na zijn dood gaat de soldaat zo snel mogelijk naar zijn geliefde, die in een herberg te Ingatestone werkt, om daar met haar contact te maken. Wat hij daar echter aantreft verbijstert hem en vernietigt zijn gevoelens: ze blijkt een relatie met iemand anders te hebben.

De geest van de soldaat blijft in de oude herberg 'hangen' alhoewel hij het er duidelijk niet naar zijn zin heeft. Hij straalt veel energie en frustratie uit en wordt beschreven als onvriendelijk en vol van woede, vastbesloten zich regelmatig te manifesteren.[11]

De geest van een Franse soldaat uit '14-'18 die Patrick Strijbosch uit Asten (Nl.) waarnam is kennelijk wat minder reislustig. De ontmoeting duurde slechts heel kort maar nog steeds krijgt Strijbosch rillingen als hij eraan terugdenkt. De man schreef me op 28 juni 1999 het volgende:

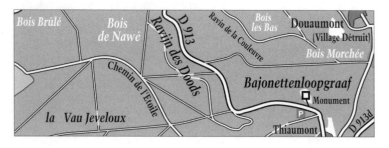

'In het najaar van 1997 ging ik, samen met mijn vriendin, oom en drie neefjes naar Verdun om daar gedurende een paar dagen de sfeer van het eerste halfjaar van 1916 te proeven. Als verzamelaars van helmen, uitrustingsstukken en andere dingen uit de Eerste en Tweede Wereldoorlog waren mijn oom en ik bijzonder geïnteresseerd in de akkers, de dorpen en de wouden rond Verdun.

Om een zo goed mogelijk idee te krijgen van wat er zich heeft afgespeeld struinden we drie dagen rond door de velden en de bossen. Plaatsen als Côte 304, Mort Homme, fort Vaux, fort Douaumont, het weggevaagde dorpje Fleury, de Tranchée des Baïonettes en uiteraard de Voie Sacrée (de weg tussen Verdun en Bar-le-Duc) waarover het Franse troepentransport nimmer ophield. Op Côte 304 stuitten we zelfs op wat resten van een menselijke schedel bleken te zijn, dit maakte een diepe indruk op ons. Alle eerder genoemde plaatsen deden ietwat onwerkelijk aan, de in het lokale museum getoonde foto's en videobeelden versterkten dit gevoel van onwerkelijkheid terwijl ze tegelijkertijd de genoemde plaatsen tot leven leken te wekken.

Van alle bezochte plekken staat er een in mijn geheugen gegrift: de Tranchée des Baïonettes. Het is een afzichtelijk blok beton dat boven een ingestorte loopgraaf, waar geweren met bajonetten uitstaken, geplaatst werd. Een Frans infanteriepeloton werd er, terwijl het zat te wachten op het signaal van de aanval, levend begraven toen een granaat insloeg en explodeerde. Het schemerde al toen we besloten om het bos rond dit monument in te trekken alvorens we terug zouden keren naar ons hotel. We liepen een pad in dat al snel nauwelijks als zodanig herkenbaar was. Mijn vriendin, twee van mijn neefjes en ik besloten daarom om terug naar het monument te gaan en een ander pad te nemen. We waren nog maar nauwelijks het andere pad ingelopen toen ik het gevoel kreeg dat er iets achter me was. Ik draaide me om en zag een Franse infanterist, een poilu, die me met zijn bebaarde gezicht en zijn karakteristieke Franse helm op zijn hoofd aankeek. Dit duurde een fractie van een seconde waarna ik mijn vriendin en neefjes riep om rechtsomkeer te maken. Ik voelde me niet langer op mijn gemak en wilde maar al te graag terug naar het hotel.

Ik heb over dit voorval lang nagedacht en me vaak afgevraagd of het werkelijkheid was wat ik gezien heb of dat mijn fantasie op hol geslagen was. Als verzamelaar was ik uiteraard goed op de hoogte van wat zich bij Verdun heeft afgespeeld maar dit was ook het geval tijdens bezoeken die ik bracht aan andere slagvelden en interneringskampen. Waarom zou mijn fantasie wel op hol slaan in Verdun en niet in plaatsen zoals de stranden van Normandië, het getto van Theresiënstadt of in de velden waar het Argonnefront was? Ik heb er geen verklaring voor en wellicht zal het altijd een raadsel voor me blijven.'[12]

HOOFDSTUK 4

Pressie vanuit het onbekende

Professor Jonker haalde het in zijn boek al aan: het onbehaaglijke gevoel je op grond te bevinden die niet zomaar betreden mag worden. Collega-auteur Hans Andriessen kent dit gevoel als geen ander. De historicus, auteur van het op veel nieuw onderzoek gebaseerde boek *De Andere Waarheid* (De Bataafsche Leeuw, 1998), staat niet bepaald bekend als een zwever. Toch had het voormalige westfront ook voor hem een vreemde verrassing in petto: 'Het was een mistige en herfstachtige ochtend in

november 1980 toen ik, samen met mijn zoon, de reeds kalende omgeving van de Mort-Homme bezocht. Moeizaam beklommen we de heuvel, gedrukt door de toch wat sombere omgeving van een bos in de late herfst. Geen vogel was te horen en een lichte sluier van mist hield zich hier en daar tussen de dichte bomengordel op.

Als vanzelf stokten onze gesprekken en ten slotte liepen we zwijgend de laatste paar honderd meter naar de top van de heuvel waar, zoals ik wist, in zeer korte tijd duizenden Franse en Duitse soldaten sneuvelden op een terrein van enkele honderden vierkante meter.

Monument de Squelerte au Mort Homme

Ik had natuurlijk al wel wat gelezen over de Duitse aanvallen op deze strategisch gelegen heuvel van waaraf de Franse artillerie de Duitse opmars trachtte te verijdelen. Te laat had het Duitse opperbevel ingezien dat hun aanval bij Verdun slechts succes kon hebben als beide Maasoevers zouden worden ingenomen. Toen men alsnog het bevel gaf om ook de oevers links van de Maas te bezetten ging dit ten koste van duizenden mensenlevens.

Zo stonden we dan ten slotte bij het indrukwekkend monument op de top van de Mort-Homme. Zwijgend lazen we de opschriften en het bordje waarop de bezoeker verzocht werd de plaats met eerbied te gedenken omdat ze doordrenkt was met het bloed van de gevallenen.

Het was op dat moment dat ik een zekere onrust bij mezelf bespeurde, een gevoel van beklemming gevolgd door de onverklaarbare indruk dat ik niet welkom was op dat moment en op die plaats. Dat ik iets verstoorde en beter weg kon gaan. Heel sterk had ik ook het gevoel dat we niet alleen waren, dat we op de een of andere wijze bespied werden. Zelfs het gevoel dat we ons te midden van een zwijgende onzichtbare menigte bevonden en wederom dat onze aanwezigheid niet op prijs werd gesteld.

Die indruk werd op een gegeven moment zo overheersend dat ik me haast gedwongen voelde om te keren en de heuvel te verlaten. Tijdens de afdaling bemerkte ik dat ik dat met meer dan normale haast deed en me opgelucht voelde toen we weer bij de auto stonden.

Sindsdien heb ik Verdun en omstreken zo'n dertig keer bezocht en maakte het gevoel, zoals hierboven omschreven, nog diverse keren mee. Met name ook in de bossen en de tunnels van het Argonnewoud. Het opvallende echter was dat naarmate ik de streek beter leerde kennen, en er meer kwam, de vijandigheid zoals die toen op me overkwam verdween maar niet het gevoel van "niet alleen zijn".

Omdat ik zo langzamerhand elk fort, elke tunnel en elke locatie rond Verdun wel een of meerdere malen heb bezocht besloot ik de frequentie van mijn bezoeken wat te verminderen. Het vreemde is echter dat ik toch ieder jaar weer ga. Niet om wat nieuws te zien, maar ik mis de sfeer. Vooral de laatste jaren heb ik tijdens mijn bezoek het gevoel terug te keren naar heel oude en heel dierbare vrienden.

Ik wil nog opmerken dat ik deze ervaringen niet heb op andere slagvelden zoals die van Ieper of die van de Somme en ook niet op oorlogskerkhoven van de Tweede Wereldoorlog. Ook in Waterloo, een slagveld uit de tijd van Napoleon, heb ik deze ondervindingen niet.'[13]

Hans Andriessen vertelde me zijn vreemde verhaal voor het eerst in 1994. Toen mijn plan om dit boek te schrijven vastere vormen begon aan te nemen vroeg ik hem dan ook een en ander op papier te zetten. Ondertussen was op Internet een bericht opgenomen over mijn nog te schrijven boek.

In augustus 1998 ontving ik naar aanleiding van deze oproep op de elektronische snelweg een fax van Charles Plier uit Luxemburg. De inhoud ervan leek zo sterk op het verhaal van Andriessen, dat ik aanvankelijk aan een grap dacht. Hans bezwoer me echter nergens van af te weten, waarop ik besloot contact op te nemen met Plier. Het bleek een heel nuchtere man te zijn die nog nooit van Hans Andriessen gehoord had. Zijn relaas versterkt het verhaal van Andriessen. De letterlijke vertaling van het faxbericht van Plier: 'Het gebeurde ongeveer tien jaar geleden toen ik de slagvelden bij Verdun bezocht, om precies te zijn de Mort-Homme.

Deze plek is, zoals u zult weten, lang niet zo drukbezocht als die aan de andere kant van de Maas met zijn beroemde forten Douaumont, Vaux enzovoort. Dus, vrijwel alleen op de Mort-Homme (er waren slechts twee andere auto's op de plek geparkeerd) liep ik alleen over de voormalige slagvelden. Toentertijd was ik een verzamelaar van militaire uitrustingsstukken uit de Eerste Wereldoorlog en ik besloot om buiten de paden te gaan wandelen met de verwachting overblijfselen zoals helmen aan te treffen.

Ik herinner me dat het een mooie en zonnige dag was, dit was een complete tegenstelling vergeleken met het landschap: granaattrechter op granaattrechter, loopgraven en verroeste ijzeren resten.

Plotseling werd ik overweldigd door een vreemde, overstelpende gewaarwording. Het was de gewaarwording dat ik door vele ogen werd gadegeslagen, maar ik was er zeker van dat ik alleen was en het was heel stil. Ik kon alleen de geluiden van de natuur horen. Maar er was nog iets anders, als een soort energie die rondzweefde, zeker niet gevaarlijk maar onbekend voor me. Ik keek rond om mijn weg terug te vinden, weg van deze plek want ik voelde me heel erg ongerieflijk.

Het leek dat iets wilde dat ik deze plek verliet, dat ik niet welkom was. En met elke stap die ik zette werd dit sterke gevoel groter. Na een tijdje vond ik het pad terug dat naar de parkeerplaats liep. Ik sprong in mijn auto en ging op weg naar huis, blij de spookachtige plek te verlaten.'[14]

Ook de Duitse schrijfster Betty Schneider ervoer de heuvel van de Mort-Homme als een zeer bijzondere plaats. Haar *Bei den Toten von Verdun* gaat over de bezoekjes die ze, nog voor de Tweede Wereldoorlog, bracht aan de slagvelden bij Verdun. Over de Mort-Homme schrijft ze: 'Uren gaan voorbij. Altijd maar omhoog en omlaag, springen in het onbekende, struikelen in het maanlandschap, dan weer rusten omdat de kracht weg is. En dorst, dorst en koorts…

Komt er dan nooit een einde aan…?

En dan, na het lange zoeken en in cirkels lopen, komt toch de top naderbij, eindelijk naderbij. We kunnen het monument erop onderscheiden, we zien eerst de achterkant ervan. Met onvaste tred beginnen we aan het laatste stuk van de wandeling. De top is bedwongen. Het gedenkteken is als een kroon op de heuvel en we lopen eromheen en kijken ertegen aan.

En zonder kracht knielen we – de Dood zelf kijkt ons aan.

Op een machtige sokkel staat een stenen skelet van reusachtige afmetingen, met de linker knekelarm houdt hij een vlag vast, de rechter is uitgestrekt en houdt een palmtak vast. De palmtak in de hand van de Stenen Dood was datgene wat ons de weg gewezen had – zo had de Dood zelf ons naar zijn berg gevoerd.

We kijken lang in zijn grauwe gezicht. Dan worden we door vermoeidheid overvallen en in totale uitputting leggen we ons neer onder de knekelige voeten.

Als we ons later opmaken om te vertrekken is het nog net licht genoeg om de woorden te lezen die in de sokkel gegraveerd zijn: Ils n'ont pas passé (ze zijn niet gepasseerd). Nog eenmaal kijken we de Dood in het stenen gelaat: bedreigt hij ons, zullen de woorden ook voor ons gelden? Maar nee, hij heeft ons toch zelf uit de warboel hiernaartoe geleid – een ding zegt hij ons echter en heeft hij door elke trechter, door elke kluwen prikkeldraad, door elke heimelijk in het gras liggende granaat laten zeggen: de oorlog is niet dood, de oorlog slaapt slechts! En beklaag, beklaag de mensen en het land als hij ontwaakt!

Onze handen en blikken glijden afscheid nemend over de sokkel waarvoor lege granaathulzen, helmen, geweren en diverse andere oorlogstrofeeën liggen die men bijeen heeft verzameld. Ook een paar kransen liggen ertussen. Aan beide zijden staan grote verstilde kanonnen. We beginnen aan de afdaling en kijken terug, de Dood kijkt ons na.'[15, 16]

De 36-jarige Bob Brunsdon uit Gloucester (G.-B.) ervoer in de buurt van Mametz Wood een gevoel van absoluut niet welkom zijn. Ook voor hem was dit besef zo sterk, dat hij de plaats overhaast verliet. Hij schreef me op 7 juli en 24 september 1998 het volgende: 'Om wat dingen na te lopen met betrekking tot "The

Old Boys of the Kings School" uit Gloucester bracht ik, in gezelschap van een goede oude vriend, enkele jaren geleden een bezoek aan de streek bij de Somme. Voor mij was het de vierde of vijfde keer dat ik er was, voor mijn vriend de eerste.

Het was een heldere en zonnige septemberdag toen we besloten ook Mametz Wood aan te doen. Aanvankelijk was het niet de bedoeling om dit bos te gaan bekijken, maar omdat het een van de beroemde plekken aan de Somme is besloten we het toch te doen.

We reden zo dichtbij als we konden tot het Welsh Dragon Memorial waar we enige tijd in de auto bleven lezen in de reisgidsen en vanwaar we over het bos uitkeken. We bespraken de slachting en hoe het er hier uit moet hebben gezien met de boomstompen en de modderpoelen. Ook brachten we in herinnering dat hier nog steeds veel doden in de bossen moeten liggen.

Na enige tijd besloten we het bos in te gaan, iets wat ik nog nooit eerder had gedaan en wat voor mijn onderzoek ook niet nodig was. Ik herinner me dat het een zonnige dag was maar dat er wat laaghangende mist hing. Het bos was verwilderd. Het had de natte geur die je gewoonlijk associeert met herfstbossen, alhoewel de bladeren nog niet echt begonnen te vallen.

Om een of andere reden spraken we niet toen we het bos via een pad inliepen. Toen we wat dieper in het bos waren en de omliggende velden uit het oog verloren hadden, begon ik me wat ongemakkelijk te voelen. Het is heel moeilijk te beschrijven maar mijn ogen gingen van boom tot boom alsof ik iemand hier verwachtte.

Ik zei zoiets als: "Dit is een vreemde plek." Mijn vriend was het met me eens en zei iets als: "Ja, het is hier vreselijk, ik hou hier helemaal niet van." Ik zei dat er zonder twijfel iets met deze plek was wat me erg onbehaaglijk maakte en we besloten niet verder te gaan maar om te vertrekken. Ik weet niet hoe mijn vriend zich voelde maar ik wilde bijna rennen.

We kwamen terug bij de auto en discussieerden nog lang over

onze gevoelens in het bos. We waren het erover eens dat het was alsof we werden bekeken. Het was alsof we inbreuk maakten op iemands privacy en dat het van weinig respect zou getuigen als we waren gebleven.

Zowel mijn vriend als ik is politieman en beiden hebben we geen last van overdreven verbeeldingskracht, dat kan ook niet als je een baan hebt waarbij je soms op de meest afgelegen plekken aan het werk bent! Ik heb hetzelfde gevoel nooit op andere plekken aan de Somme gehad en ga zonder problemen 's nachts op patrouille bij kerkhoven, het is onderdeel van mijn werk. Geen van ons tweeën zijn we erg gelovig en mijn vriend heeft over het algemeen een erg spottende en cynische kijk op het leven. Als ik er objectief over nadenk zou het misschien de (voor)kennis kunnen zijn die we, voordat we het betraden, van het bos hadden. Aan de andere kant zijn er plekken die net zo berucht zijn – in gelijke omstandigheden heb ik diep in het Delville Wood gelopen – en waar ik niets voelde behalve respect voor hen die daar vielen,' aldus Bob Brunsdon.[17]

Arjan Barth is in het dagelijkse leven conducteur bij de Nederlandse Spoorwegen. In 1994 reed hij samen met een vriend over de Voie Sacrée, de strategisch belangrijke weg die als levensader fungeerde tijdens de slag bij Verdun in 1916 (zie ook hoofdstuk 1.21: 1916, Verdun en de Somme). Het was een genoeglijk tochtje dat door de pressie die ze van 'iets' ondervonden overging in een vlucht. Het verhaal van twee mannen die normaal niet voor elkaar willen onderdoen: 'Het zal een jaar of vier geleden zijn. In het voorjaar reed ik samen met een goede vriend op de motor door Frankrijk. In deze tijd van het jaar zijn er nog niet zoveel toeristen en de wegen zijn dan prima begaanbaar.

Zo begonnen we aan de reis van Metz naar Reims over een weg die, op een oude kaart uit 1960, geel gekleurd was. Hij zou ons via Verdun naar Reims brengen. Het weer was voortreffelijk, overal floten vogels, ritselde het van de beestjes en ik kan dus zeggen dat de natuur om ons heen uitbundig was.

Tijdens onze reis stopten we regelmatig om te roken, te plassen of wat te eten. Dit deden we op parkeerplaatsen, terrasjes in dorpen maar ook midden in de natuur op bijvoorbeeld een opritje van een boerenakker.

Na een tijdje rijden viel mij op dat er langs de weg paaltjes met helmen uit de Eerste Wereldoorlog stonden. Op een gegeven moment besloot ik, want ik reed voorop, de motor op een opritje neer te zetten van een akkertje met struikjes en vrij hoog gras. Na het gebruikelijke ritueel van helm af, handschoenen uit enzovoort zat ik scheef op de motor een shagje te draaien. Mijn vriend was ook gearriveerd en begon aan hetzelfde ritueel.

Toen mijn reisgenoot z'n motor had afgezet overviel mij een vreemd, kil en beklemmend gevoel. Ik kon het niet laten om iedere keer weer om me heen te kijken want ik had het gevoel dat ik, zonder dat ik het wist, door anderen in de gaten werd gehouden, als was het meekijken over je schouder. Ook mijn maatje, die altijd de rust zelve is en altijd een beetje in elkaar op zijn motor hangt tijdens rookpauzes, keek nogal nerveus om zich heen. Ikzelf voelde me absoluut niet op mijn gemak, mijn vriend dus ook niet. Al die tijd, vanaf het moment dat ik als eerste de motor had stilgezet tot dan toe, hadden we geen woord gewisseld. Ik, die normaal al snel wat te kletsen heb, kon eigenlijk niets uitbrengen. Het was net alsof iets mijn mond snoerde maar ik wist niet wat. Aan mijn vriend kon ik zien dat hem hetzelfde gevoel had overvallen.

Het indrukwekkendste was de beladen atmosfeer, de stilte. Een allesoverheersende stilte. Geen vogel, geen beestje of insect was te horen. Niets… alles was doodstil. Het beklemmende gevoel begon mij dan ook steeds meer te beangstigen. Ook mijn reisgenoot werd steeds onrustiger. Ik plaatste uiteindelijk de opmerking: "Wat is het hier stil, Rein." Hij reageerde in eerste instantie opgelucht omdat hij blij was dat ik de stilte doorbrak. Maar direct daarop vertelde hij dat er volgens hem iets vreemds aan de hand was, iets onverklaarbaars; er klopte gewoon iets niet. Hij drong er dan ook op aan snel weg te gaan, iets wat ik zelf ook wilde. We vervolgden onze weg in de richting van Reims. Pas later las ik jouw boek over Verdun en de ligging van de slagvelden. Langzaam begon ik me te realiseren dat we over stukjes slagveld hadden gereden. Ik heb dan ook de overtuiging dat de plaats waar wij stilstonden gebied was waar strijd was geleverd.'[18]

De Voie Sacrée in 1994

Het bijzondere van de belevenis van Arjan Barth is dat absoluut geen sprake kan zijn van beïnvloeding of hooggespannen verwachtingen door voorkennis over de geschiedenis van de streek. In tegenstelling tot Barth definieert Adri Kes uit Spijkenisse duidelijk het gevoel weg te willen uit de buurt van Verdun. Hij spreekt over 'het gevoel dat al de gesneuvelde soldaten nog lijfelijk aanwezig zijn'. Op 6 december 1998 stuurde hij me de volgende e-mail: 'Ik kan niet nalaten te reageren. Vijfentwintig jaar geleden ben ik met een neef tijdens de vakantie alleen maar langs Verdun gereden op een scooter op weg naar een vakantiebestemming. Nooit ben ik het gevoel kwijtgeraakt dat ik daar had, namelijk het gevoel dat de geesten van al die gesneuvelde soldaten daar nog lijfelijk aanwezig zijn. Ik voelde dat op dat moment bijna fysiek. Natuurlijk, het is net wat u schrijft, het weer was ernaar. Somber, een beetje onweersachtig, laat in de middag een wat sinistere atmosfeer. We reden alleen maar langs dat monument, bekeken het landschap en we hadden slechts de wens daar zo snel mogelijk weg te zijn, gewoon weg en er nooit meer terugkomen. Het vreemde van de zaak is dat ik dit onbeschrijflijke gevoel alleen hier heb ervaren. Ik heb wel meer slagvelden bezocht, omdat de geschiedenis van de Eerste Wereldoorlog mij zeer interesseert. Maar de "ervaring" bij Verdun is toch een eenmalige gebeurtenis geweest en is me altijd bijgebleven. Overigens is het misschien wel nuttig te weten dat ik eigenlijk niet zo gevoelig ben voor dit soort buitengewone ervaringen, wanneer ik ze hoor heb ik de neiging mijn schouders op te halen, maar toch, toen ik uw artikeltje in *Trouw* las…'[19]

Terwijl ik aan dit boek werkte ontving ik tientallen reacties van mensen die zich ergens aan het oude westfront duidelijk onwelkom voelden. Vaak schreven ze dat dit gebeurde op plekken waar ze al eerder geweest waren zonder dat zich toen iets bijzonders had voorgedaan. De door mij in dit boek opgenomen verhalen over angstgevoelens zijn dan ook het topje van een ijsberg en het zou te ver voeren alle verhalen te publiceren. Het verhaal van Hans de Regt uit Brielle wil ik u echter niet onthouden, niet omdat het zo bijzonder is maar omdat ik de man persoonlijk ken. De Regt is een nuchtere, intelligente man en hij lijkt me zeker niet iemand die zich gemakkelijk laat beïnvloeden. Hans de Regt:'Op 11 november 1996 woonde ik de herdenking bij in de Menenpoort. Na deze herdenking heb ik de voor mij bekende rondrit gemaakt langs de verschillende begraafplaatsen. Ik wilde nog een paar foto's maken van deze kerkhoven in de schemering.

Het was koud en regenachtig en het werd vroeg donker.
Normaalgesproken zijn de Britse begraafplaatsen voor mij aange-
name plaatsen om te verpozen. Ze zijn altijd mooi om te zien en
ondanks dat er in de omgeving van Ieper veel verkeer is heerst er
meestal een serene rust. Kennelijk stoort op dergelijke plaatsen
het verkeer veel minder.

Toen het te donker werd om te fotograferen reed ik terug naar
Ieper. Ik wilde om 20.00 uur The Last Post gaan bijwonen. Op
de terugweg stopte ik nog even bij Ridge Wood Military
Cemetery, vlak bij Château Elzenwalle. Toen ik uitstapte en naar
het poortje liep bekroop mij een zeer onaangenaam gevoel. Ik
kan het niet goed omschrijven maar het leek alsof deze begraafplaats helemaal niet zo "gastvrij" was. Het bleek er ineens veel
donkerder te worden. Ik heb de begraafplaats die avond niet
bezocht maar reed direct terug naar Ieper. In 1998 ben ik er weer
geweest en toen was er niets aan de hand, een rustige begraafplaats in een prachtige omgeving.'[20]

Ook Sjoerd Claessens uit Nederweert herkent het gevoel dat een
kerkhof niet gastvrij is. Sinds enige jaren gaat hij met een archeo-
logische werkgroep naar de opgraving van de Verdronken Weiden
bij Ieper. Als 's avonds het werk erop zit gaat de groep, zo'n vijftien man, vaak wandelen. Als collectief is het hun opgevallen dat

het Hedge Row Trench Cemetery een overweldigende rust uit-
straalt en dat de sfeer er totaal anders is dan op het nabijgelegen
Bluff Cemetery. Daar overheerst het gevoel er zo snel mogelijk
weer weg te willen. Een verklaring voor dit enorme, bijna tastbare verschil heeft Claessens niet.[21]

Het zou wel eens zo kunnen zijn dat de angstgevoelens die bij

veel bezoekers van het gevechtsterrein van de Eerste
Wereldoorlog optreden het gevolg zijn van het feit dat we in
onze westerse cultuur nooit geleerd hebben met bovennatuurlijke verschijnselen, zoals doden die contact zoeken met levenden,
om te gaan. Onbewust hebben we de neiging de ons onbekende
gevoelens te vertalen naar iets wat wel herkenbaar is zoals angst,
een voor iedereen duidelijk te identificeren emotie. Een enkeling
echter ervaart het onbekende gevoel als iets positiefs. Karl
Barwasser uit Kerkrade is zo'n man. Hem heeft het in 1996
'erwischt' op een eenzaam soldatenkerkhof in de Picardie. Hij
voelde hoe de zielen van de gesneuvelden verblijd waren met zijn
bezoek en hoe de Schepper hem de zoom van zijn mantel liet
voelen. Barwasser schreef hierover: 'Maar wat een verschil in
landschap en omgeving met de route die we voor de heenreis
hadden gekozen. Daar getoeter, drukte en verkeer en hier de

bekende "oorverdovende stilte"!
Het agrarische landschap was wijd en oeverloos zoals ik eerder
nooit had gezien of aangevoeld. Het leek alsof onze auto de veel-
bezongen notendop was op de eindeloze oceaan. Behalve het
geluid van de zomerwind in het koren en af en toe het piepen
van een vogel was het stil, zo stil als het kon zijn.
Men voelt zich nabij God in dat soort situaties en ik denk dat
onze stemming een deel was van wat later ging gebeuren. Op een
gegeven ogenblik kwamen we bij een kruising van twee volkomen eenzame wegen en onze ogen gingen op zoek naar een bord
dat ons de richting naar een bekende plek zou wijzen. Maar pas-
send bij die absolute eenzaamheid was dat er geen enkel bord
was.
Door middel van een kompas werd richting zuid aangehouden
en na enkele minuten rijden stonden we alweer bij zo'n eenzaam

205

kruispunt waarvan het asfalt flikkerde in het zonlicht. We stopten, keken rond maar pas bij het wegrijden zagen we het silhouet van een bord van de "Volksbund Deutscher Kriegsgräberfürsorge" (VDK), dat ons de weg wees naar het voor ons beiden onbekende Duitse soldatenkerkhof van Nampcel. Het besluit om er een bezoek aan te brengen was snel genomen en we reden in de aangegeven richting zonder echter wat van het kerkhof te kunnen ontdekken. Dat kwam doordat het in een zacht glooiende helling ligt en zodoende voor de berijder van het plateau onzichtbaar blijft totdat hij er pal voor staat.

We parkeerden de auto, ik pakte mijn camera en we betraden het kerkhof.

Behalve wij was er niemand aanwezig. Na korte tijd ging mijn vrouw weer terug naar de auto vanwege pijn in haar voeten. Ik wilde nog wat rondkijken, vooral de westkant waar zich een muur van oeroude stenen bevindt wilde ik bekijken. En ook de noordkant waar zich onder de wijde takken van een rij werkelijk machtige esdoorns een aantal "Kameradengräber" bevinden trok mijn aandacht.

Zoals al opgemerkt, het was een hete zomerse dag en het graan en de veldbloemen bewogen traag in een zachte warme wind. De stilte was zo intens dat je hem bijna kon aanraken. Maar opeens, geheel onverwacht, stak de wind op. Om een beeld te geven: ik schat dat het van windkracht twee in enkele seconden veranderde in windkracht acht tot negen. Ik was net bij de esdoorns weggelopen en keek wantrouwend omhoog, bang om door een onweer te worden beslopen. Maar er was niets anders te bespeuren dan een zee van blauw met daarin hier en daar een volkomen onbeweeglijk wit wolkje. En ik stond daar maar in mijn eentje onder de hevig zwiepende takken van de esdoorns waar de wind ondertussen met bijna stormkracht doorheen joeg.

Plotseling was het er, het gevoel niet alleen te zijn. Niet dat ik dacht bespied te worden, nee, het was anders. Even dacht ik aan de Horses of Apocalyps die daar door de hemel bruisten, maar even later kreeg ik het gevoel dat er iets machtigs uit de hemel kwam, heel even op bezoek, over de aarde streelde en met veel gedruis weer terugkeerde naar het heelal. Wat was er gebeurd? Wat was het geweest? Ik weet het niet en zal het naar alle waarschijnlijkheid ook nooit te weten komen. Er is vast en zeker een meteorologische verklaring voor het fenomeen maar ik denk zelf dat onze Schepper me de zoom van zijn mantel heeft laten voelen. Ik kan niet zeggen dat ik bang was, maar ik heb me nog nooit van mijn leven zo klein gevoeld. Ik weet nog dat ik op een gegeven moment dacht dat de zielen van de gesneuvelden, die daar op de heuvel hun laatste rust hebben gevonden, verblijd waren met mijn bezoek en me dit wilden laten voelen. Wie weet, vaststaat dat het hele gebeuren onuitwisbaar in mijn geheugen gegrift staat. Enkele minuten later was ik weer bij mijn vrouw in de auto. Zij had niets buitengewoons gemerkt. Op mij had het hele gebeuren een onvergetelijke indruk gemaakt.'[22]

HOOFDSTUK 5
Waarnemingen van kou

De belevenissen van Hans de Regt en Sjoerd Claessens bij de kerkhoven in de buurt van Ieper zijn niet echt schokkend, maar karakteristiek voor de verhalen die velen me vertelden. Anderen vertelden over paranormale ervaringen die samengingen met het waarnemen van kou op plaatsen waar je het niet zou verwachten. De actrice/schrijfster Joellyn Auklandus uit Philadelphia bijvoorbeeld maakte in 1992 op 37-jarige leeftijd een tocht langs de voormalige gevechtslinie. Ze beleefde er dingen die voor haar uiterst ongewoon waren. In een e-mail vertelt ze: 'Ik stond aan het graf van de Britse aas (= uiterst succesvol

gevechtsvlieger) Albert Ball, die naar ik denk de enige Engelsman is die rust op de Duitse begraafplaats te Annoeullin (Frankrijk). Het was ongeveer een week na de vijfenzeventigste gedenkdag van zijn overlijden in mei 1917. We bezochten de plek ergens tussen het midden en het einde van de maand mei in 1992. Het weer was zonnig en overal op het kerkhof was het prettig warm. Behalve dan ongeveer 30 centimeter rond het graf van Ball, zonder enige verklaring was het daar zo'n tien graden kouder. Je kon

er letterlijk een andere temperatuur aan je elleboog en aan je
hand voelen als je je hand boven het graf hield. Er was geen enkele natuurkundige verklaring voor.'[8]

Later kwam Joellyn in de buurt van Stenay. Ook hier werd ze
overvallen door een vreemd soort kou: 'Toen we een plaats buiten Stenay bezochten (niet erg goed aangegeven vanaf de weg
maar met volop borden die wezen op het gevaar van onontplof-
te mijnen) vonden we een aantal bunkers die door kroonprins
Wilhelm tijdens de slag om Verdun waren gebruikt. We hadden
een plaatje met de exacte positie erop. Het was uit de oude tijd,
nog geen begroeiing, en de prins en zijn gevolg stonden in een
rij op de betonnen treden die naar de bunkers leidden.
De bunkers waren nu in het midden van een compleet begroeid
bos, ze hadden een dak van mos en klimplanten. Er was, opnieuw,
een tastbaar gevoel van kou en indirecte kwaadwilligheid. Niet
dat daar iets "boosaardigs" op die plek was, maar het bos had het
definitief overgenomen en mensen waren NIET welkom. Alsof
het bos wist wat we de laatste keer hadden gedaan.'[8]

In de Duitstalige reisgids *Militärgeschichtlicher Reiseführer Verdun*
beschrijven Horst Rohde en Robert Ostrovsky hoe ze het optreden van plotselinge kou waarnemen bij het Fort Souville in de
buurt van Verdun. Ze verbinden er geen conclusie aan, maar ook
geen natuurkundige verklaring: 'Al snel is de ingang van het fort

bereikt waar zich een verbazingwekkend fenomeen openbaart:
komt men dichterbij, dan heeft men na enkele stappen het gevoel
dat de temperatuur er minstens tien graden lager is zodat men er
zelfs tijdens de zomermaanden kan bibberen.'[23]

HOOFDSTUK 6

Lichamelijk onbehagen

N iet alleen kou manifesteert zich als bijzondere ervaringen zich voordoen. Dick Goedemans, een 53-jarige beroepsonderofficier bij de Koninklijke Landmacht uit Dronten, heeft een speciale binding met Verdun en omgeving. Hij voelde zich zelfs lichamelijk beroerd worden tijdens een tocht over de slagvelden. Hij schreef hierover: 'Als regel breng ik samen met

mijn gezin zo'n twee maanden per jaar door in het noordoosten van Frankrijk. Tijdens deze vakanties ga ik meerdere keren, al dan niet in gezelschap van anderen, naar Verdun en omstreken. Door al die bezoeken heb ik een redelijke kennis opgedaan omtrent de slag die daar heeft gewoed.

Ongeveer drie jaar geleden was ik weer bij het slagveld Verdun. Mijn tocht had ik gepland vanaf Quatre Cheminées om daarna in de richting van het noorden te gaan. Ik was nog nooit eerder op de plek geweest maar ik werd er benauwd en voelde me beroerd, ik kreeg er een onbestemd gevoel. Met moeite kon ik terugkeren naar de weg die bovenlangs loopt. Na enige tijd besloot ik mijn tocht voort te zetten, iedereen voelt zich wel eens slecht… Bij Froideterre aangekomen kwam het beroerde gevoel terug, ik stapte weer in mijn auto en toen ik naar Douaumont en andere plaatsen reed knapte ik al snel weer op. Ik dacht over de gebeurtenissen niet veel meer na en keerde terug naar de camping. Twee weken later ging ik met iemand anders opnieuw naar Verdun. We wilden vanaf fort Thiaumont binnendoor naar

Froideterre lopen. Na een paar honderd meter kwam het beroerde gevoel dat ik eerder had gehad terug, maar nu kwam er een bijna lichamelijk gevoel van angst bij. Ik besloot door te lopen en we kwamen langs PC 118 en PC 119 en wat overdekte loopgraven. Ik was hier nooit eerder geweest en het regende hard. Ik begon steeds meer te voelen wat anderen hier ook gevoeld moeten hebben, een gevoel van verloren zijn.

De geschonden aarde van Froideterre

Ik was blij dat ik uiteindelijk terug was in de auto. We zijn wat gaan eten om daarna onze tocht te vervolgen. Op andere plaatsen had ik geen last van "het gevoel".

Tijdens mijn laatste bezoek aan de slagvelden bij Verdun besloot ik zoveel mogelijk de route van het 137ste Regiment Infanterie te volgen. Het loopt vanaf Fleury naar het Ravijn des Doods, vlak bij de Bajonettenloopgraaf.

Vanaf het begin dat we uit de auto stapten had ik een gevoel van beklemming. Ik deed dit luchtig af met "maak je maar van tevoren beroerd, dan hoef je dit onderweg niet meer te doen".

Ook hier werd het beroerde gevoel steeds erger maar nu kwamen er ook angstgevoelens bij, niet voor mezelf maar voor anderen. Ik voelde bijna lichamelijk de angst die hier hing, de pijn en het verdriet. We liepen de paden ongeveer in de aangegeven richting. Hoe dichter we bij ons einddoel kwamen, hoe bedrukter ik mij voelde. Ik heb mij dan ook voorgenomen deze route nooit meer te lopen en de punten waar ik het moeilijk kreeg in de toekomst te mijden.'[24]

HOOFDSTUK 7

Reïncarnatie

ijdens het schrijven van dit boek ben ik met nogal wat mensen in aanraking gekomen die ervan overtuigd zijn dat ze een reïncarnatie zijn van een gesneuvelde soldaat uit 'Den Groote Oorlog'. Een magnetiseur die is gespecialiseerd in reïncarnatie en een paragnost vertelden me, onafhankelijk van elkaar en zonder dat ze van de uitspraak van de ander afwisten, dat ze achter mijn lichaam de contouren van een soldaat zagen staan. Beiden vertelden ze me dat hij een Duitse Stahlhelm droeg...

Een man die zich beroepshalve bezighoudt met het onderzoeken van reïncarnatie is dr. Ian Stevenson. De man is professor in de psychiatrie aan de University of Virginia. In zijn archief heeft hij duizenden beschrijvingen van door hem als authentiek bestempelde gevallen van reïncarnatie. Als wetenschapper is hij bijzonder kritisch. Om die reden verkiest hij het bij voorkeur te werken met jonge kinderen. Van kinderen in de leeftijd van twee tot vier jaar mag worden verondersteld dat zij maar heel beperkt toegang hebben gehad tot bronnen die het gevoel kunnen geven gereïncarneerd te zijn. Bij volwassenen is het veel moeilijker inzicht te krijgen in de invloeden waaraan de proefpersoon blootgesteld is geweest. Stevenson heeft een bijzonder indrukwekkend oeuvre en beschrijft bijvoorbeeld gevallen van xenoglossie, het vermogen een taal die nooit geleerd is, en soms zelfs nog nooit eerder gehoord, vloeiend te spreken. Dit zou gezien kunnen worden als een bijna sluitend bewijs voor het bestaan van reïncarnatie. Stevenson beschrijft ook gevallen van mensen die andere, nooit aangeleerde vaardigheden hebben.

Robert uit het Belgische Knokke heeft zo'n vaardigheid en zijn verhaal staat in een duidelijke relatie tot de Eerste Wereldoorlog. Het jongetje vertelde al sinds hij kon praten dat de foto van zijn oom Albert ook een foto van hem was. Oom Albert was in 1915 door Duitse mitrailleurkogels om het leven gekomen tijdens een aanval op een Duitse stelling en was tijdens zijn leven het lievelingskind van zijn moeder, de oma van Robert.

Als enige kleinkind kon Robert met zijn oma opschieten, de andere kinderen probeerden haar te ontwijken. Hij was zichtbaar blij als hij in haar omgeving was en gaf haar koosnaampjes die zijn overleden oom Albert ook aan haar gegeven had.

Het bleek dat Robert dezelfde mensen aardig vond als Albert toen hij nog in leven was. Vond Robert iemand onsympathiek, dan bleek dat oom Albert ook een hekel aan die persoon had gehad.

Bij zijn ouders was Robert een onhandelbaar kind, was hij bij zijn oma, dan was hij het zonnetje in huis. Toen iemand eens een foto van Robert wilde maken, maakte de camera een repeterend geklik, het kind reageerde hierop in paniek en schreeuwde: 'Niet doen! Niet doen! Ik wil niet weer worden doodgeschoten.'

Op de leeftijd van drieënhalf jaar kwam Robert voor het eerst in een zwembad. Hij dook plotseling van de duikplank, een perfecte duik uitvoerend. Kinderen hebben normaalgesproken veel moeite met het goed uitvoeren van een duik. Het vergt veel training en een goede coördinatie van verschillende lichaamsdelen zodat ze bijna altijd met een onhandige plons, en zeker als ze voor het eerst in een zwembad zijn, in het water verdwijnen. Oom Albert was een goede zwemmer geweest en een geoefend duiker. Zonder training bleek de peuter deze eigenschappen ook te hebben. Het leek alsof de vaardigheden zich als een soort geheugen in de kleuter hadden overgedragen. Samen met de andere overeenkomsten die het kind met zijn oom had vormen ze een zeer sterke aanwijzing voor het bestaan van de Wetten van de Wedergeboorte.[25, 26]

Xenoglossie is, zoals gezegd, het vermogen een vreemde taal te spreken zonder deze, in het huidige leven, te hebben geleerd. De Nederlandse zanger/cabaretier Bram Vermeulen is er, met betrekking tot de Eerste Wereldoorlog, misschien wel het beste voorbeeld van. In 1990 maakte hij voor de RVU de tv-documentaire *Duizend Bommen en Granaten*. Samen met Peter Zwart en een geluids- en cameraman zwierf hij over de slagvelden tussen Ieper en Verdun. In Vlaanderen raakte hij compleet van slag en kwamen flarden van herinneringen over een oorlogsverleden naar boven: '… Daarna liep ik voor het eerst van mijn leven de loopgraven bij de IJzer in. Om filmopnamen te maken. En begon ter plekke ontzettend te huilen. Onstuitbaar. Het hield niet meer op.'
Toen hij een interview had met een Belgische veteraan werd het hoe en waarom van deze emoties voor Vermeulen snel duidelijker. De Belg sprak plat Westhoeks, een dialect dat normaal gesproken voor Nederlanders, en dus ook voor Bram Vermeulen, volkomen onverstaanbaar is. Tot verbijstering van de tv-crew stelde Vermeulen zijn vragen in hetzelfde dialect en leek hij de veteraan perfect te verstaan. Vermeulen was zich hiervan niet bewust en pas op de hotelkamer, toen de band werd afgespeeld, sloeg ook bij hem de verbazing toe. Het was voor hem het sluitende bewijs dat hij een reïncarnatie van een Belgisch soldaat uit de Eerste Wereldoorlog is.[27]

Jan-Piet Hoogerwerf uit Zierikzee reageerde op mijn oproep in de nieuwsbrief van de WFA-Nederland waarin werd gevraagd om 'bijzondere belevenissen en gebeurtenissen' tijdens het bezoeken van het westfront uit de Eerste Wereldoorlog te beschrijven. Hij schreef het volgende: 'Toen op een gegeven moment, het moet in de vierde of vijfde klas van de lagere school geweest zijn, een onderwijzer over de Eerste Wereldoorlog begon, wist ik direct waar hij het over had. In gedachten zag ik een door modder gedomineerde desolate omgeving. Het was een herkenning. Heden ten dage als ik ergens aan het oude front vertoef ben ik ook altijd op zoek naar herkenning. Voelen, proeven, zien, weten, ondergaan. Zoals op jou, maakte het verhaal van dr. Henk Jonker ook op mij veel indruk. Het was een van de eerste boeken die ik over W.O. I las en ik voelde me niet meer alleen.

Later hoorde ik van de Western Front Association en begreep dat er dus nog meer "lotgenoten" waren.

Na schooltijd was ik de Eerste Wereldoorlog wat kwijtgeraakt en pas meer dan tien jaar later, zo rond 1990, kwam een vriend van mij terug van vakantie en vertelde over Verdun. Ineens zag ik weer diezelfde landschappen als tijdens mijn lagereschoolperiode. Vanaf die tijd heb ik zo'n beetje jaarlijks verschillende stukken front bezocht. Je kunt ook zeggen "moeten bezoeken", want op de een of andere manier blijft het oude front aan me trekken.

Tijdens een van de bezoeken aan het oude front heb ik vanwege mijn niet te stillen honger naar non-fictie bij de peervormige barkeeper op Hill 62 het boek *The western front, then and now* gekocht. Thuis het boek doorbladerend zorgde de hedendaagse stafkaart en de oude foto van het dorp Fromelles voor een hevige confrontatie met mijzelf. Het was een herkenning!

Even kon ik het voelen, proeven, ondergaan. Later ben ik naar het plaatsje toegegaan, in de hoop op een nog sterkere herkenning. Fromelles deed me niets toen ik er binnenreed. De herkenning was weg. Waarom moest ik hier zo nodig naar toe? De foto in het boek van John Giles was vanaf de Duitse kant genomen. Op de middelbare school was ik de beste van de klas wat Duitse uitspraak betreft. Moet ik in regressietherapie?

Puur uit nieuwsgierigheid. Nieuwsgierigheid, is dat een goede reden om in regressie te gaan? Ik weet het nog niet.

Een kennis van mij bezit in het dorpje Brieulles sur Meuse (boven Verdun) een boerderij. Het is de laatste boerderij op de heuvel voordat een steenworp verder de imponerende Duitse begraafplaats begint. De boerderij verhuurt hij ook aan derden, dus togen we met twee vrouwen en twee mannen naar Noord-Frankrijk in de periode van 10 tot 13 november 1995. De eigenaar had ons al gewaarschuwd dat we de eerste nacht niet zouden slapen vanwege de stilte... Nou, iedereen sliep behalve ik. Ik vond het een zeer bizarre gedachte dat twintig meter verder ruim 11.000 dode Duitsers lagen. Ik lag mezelf een beetje bang te maken en in gedachte hoorde ik 11.000 soldaten over de weg marcheren. Op het moment dat ik net tussen slapen en waken zweefde, stonden er opeens drie mannen naast het bed. Ik schrok niet, er ging rust van uit. Twee mannen hadden de armen over elkaars schouder en de derde stond te roken. Ze zeiden niets maar keken me lachend aan. Het was een wederzijdse herkenning en ik lachte terug. Ze hadden Duitse uniformen aan, geen helmen op. Ik kreeg ook een naam door: Kurt Weill.

Toen waren ze weg. Later in de nacht fluisterde een zware stem iets in mijn oor, ik kreeg een verstikkend gevoel en wilde wakker worden. Mijn vrouw heeft me wakker gemaakt. De volgende ochtend ben ik naar het kerkhof gegaan en heb ik in het register de naam Weill (met en zonder dubbele l) opgezocht. De naam kwam echter niet voor in het register.

Er is dus ergens een binding met de Eerste Wereldoorlog. Ik denk dat velen onder de bezoekers eenzelfde drang naar herkenning hebben. We blijven zoeken. Misschien tot het moment dat we onszelf tegenkomen op de slagvelden. Zou het dat gewoon zijn? Op zoek naar onszelf?'[28]

Will Coolen uit Udenhout las in maandblad *ParaVisie* van januari 1999 over mijn voornemen een boek over het paranormale met betrekking tot de Eerste Wereldoorlog te schrijven. Net zoals Bram Vermeulen en Jan-Piet Hoogerwerf heeft ook hij de overtuiging al eerder geleefd te hebben. Coolen, 50 jaar, werkt bij de politie en diende drie jaar bij het korps mariniers.

In een brief schreef hij het volgende: 'Als kind hoorde ik veel verhalen over de Tweede Wereldoorlog en dit had mijn belangstelling. Ik speelde dan ook vaak oorlogje en ging helemaal op in dit
spel. Ik had echter opvallend veel angst voor rook. Als ik in de
rook van een vuur stond raakte ik in paniek en vluchtte weg. Ik
kreeg het er benauwd van en dacht dat ik door verstikking dood
zou gaan.

Grote angst had ik ook om blind te worden. Die angst is nu minder maar is nooit helemaal verdwenen. Tevens heb ik angst voor
kleine ruimtes; angst voor de dood heb ik echter nooit gehad.
Misschien wel toen ik kind was, maar daar kan ik me niets meer
van herinneren.

Later toen de televisie zijn intrede deed zag ik regelmatig beelden uit de Eerste en Tweede Wereldoorlog. Na verloop van tijd
ontdekte ik dat de beelden uit de Eerste Wereldoorlog me veel
meer aangrepen dan de beelden van de Tweede Wereldoorlog.

Tot op heden kan ik beelden uit de Eerste Wereldoorlog niet
onbewogen bekijken en raak ik steeds geëmotioneerd. Mijn
dochter zegt dan: "Pap, als je er niet tegen kunt zet dan wat anders
op." Uiteraard doe ik dit niet omdat het mij zo intrigeert. Het
paranormale heeft altijd mijn interesse gehad en ik ben er dan
ook enkele jaren actief mee bezig geweest. Zelf ben ik enigszins
paranormaal begaafd. "Helder weten" is bij mij het duidelijkst
aanwezig. Tevens ben ik voor honderd procent overtuigd van het
bestaan van reïncarnatie. Ik wil hiermee zeggen dat ik onverklaarbare zaken niet afwijs en me ervoor openstel.

In de loop der jaren kwam bij mij het beeld naar voren dat ik in
mijn vorige leven soldaat was tijdens de Eerste Wereldoorlog. Het
gevoel "het te weten" werd steeds sterker en daarbij ook de overtuiging dat ik gevochten heb, en gestorven ben, in de loopgraven
van '14-'18.

Het feit dat ik tijdens mijn huidige leven nog enige tijd militair
geweest ben zie ik in het kader van afmaken wat nog niet afge-
maakt was. Ik ben nu geheel genezen van militarisme en heb nu

meer antimilitaristische gevoelens. Een vrouw met wie ik wel eens een seance meemaakte vertelde mij: "Jij hebt in je vorige leven zoveel ellende aangericht dat je in dit leven een uniform moet dragen, maar dan om de mens te dienen." Ik heb dan ook sterk het gevoel dat ik een dienende taak heb in dit leven.

Wat betreft mijn overtuiging over reïncarnatie het volgende: enige jaren geleden ervoer ik tijdens mijn slaap dat ik me in een ontzettend grote bunker bevond. Dit was een soort bunker zoals ze aan de Siegfriedlinie staan, aan de Duits-Franse grens. Door deze bunkers reden treintjes die personeel vervoerden.

In de bunker stonden honderden manschappen in volle uitrusting. Ikzelf stond apart van de groep en ik denk dat ik een vrij hoge rang had in het leger. We stonden op het punt de bunker te verlaten om een aanval uit te gaan voeren. Ik was zeer gespannen en had het gevoel dat ik deze aanval niet zou overleven. Op het moment dat we aanstalten maakten de bunker te verlaten werd ik wakker.

Voor mij was duidelijk dat dit geen droom was geweest maar een herinnering aan wat de laatste ogenblikken waren tijdens mijn vorige leven. Ik schreef dan ook bewust over "ervaren" tijdens mijn slaap. Nu, op het moment dat ik erover schrijf, komt de emotie weer boven en kan ik de beelden weer duidelijk voor me zien. Het verklaart voor mij ook het feit dat ik als kind angst had voor rook (gifgas) en angst om blind te worden. Zoals u waarschijnlijk weet werden door bepaalde soorten strijdgas de ogen aangetast, hetgeen tot blindheid leidde.

Het is voor mij nog niet duidelijk aan welke zijde ik vocht maar ik vermoed dat dit aan Duitse zijde was. Mogelijk dat mij dit nog eens duidelijk wordt. Ik zou wat dat betreft graag een regressietherapie willen volgen.'[29]

Jan-Piet Hoogerwerf en W.C. Coolen hadden het er in hun brieven over: regressietherapie. Dit is een techniek die sommige therapeuten gebruiken als ze vermoeden dat de huidige problemen die een patiënt ondervindt veroorzaakt worden door een schokkende gebeurtenis eerder of zelfs tijdens een eerder leven. De bedoeling is om terug in de tijd te gaan en de patiënt een en ander te laten herbeleven en verwerken.

De Franse psycholoog Patrick Druout is gespecialiseerd in deze techniek. In zijn boek *Despre Nemurire, fenomene verificatesi verificabile* schrijft hij over het geval-Charles: 'Charles was ongeveer vijfenveertig jaar oud toen hij mij een bezoek bracht. Door een ongeluk werd in zijn tienertijd zijn been afgezet. Dit bezorgde hem een hoop zorgen, hij had een minderwaardigheidscomplex en reageerde agressief en maniakaal op de mensen om hem heen. Hij vertelde dat hij een zeker niveau van acceptatie wilde bereiken.

In deze gevallen zijn er twee dingen te doen: we gaan zoeken naar een karmische relatie tot het probleem, maar zetten de patiënt om wie het gaat ook aan het werk. De procedure is om de persoon terug te brengen naar het moment dat het trauma werd veroorzaakt.

Wat betreft Charles lag dit tijdstip precies op de grens van zijn kindertijd. Hij kwam toen onder een trein terecht. Het was een treurig ongeluk en erg pijnlijk voor hem.

In een poging dit moment naar zijn bovenbewustzijn te brengen, daar waar de tijd niet bestaat en waar de acceptatie van dingen plaatsvindt, vanwaar het een plaats moest krijgen in zijn dagelijkse bevattingsvermogen, voerde ik Charles door zijn bewustzijn en stelde hem voor in een soort fontein te stappen. Na zo'n tien minuten werd hij bijzonder opgewonden, deze toestand veranderde in intense woede die zich uitte door de opmerking: "Mijn ouders zijn schuldig! Ze geven niet om me, ze hebben me verlaten en er is niemand die om me geeft!"

Hij beschreef het ongeluk en beschreef hoe hij van de trein viel om er vervolgens onder terecht te komen waardoor hij de helft van zijn been verloor. In diezelfde tijd verminderde zijn woede tot zijn ouders: "Ze laten zich niet door me in beslag nemen. Moeder, vader laat me alleen, ga weg, ik wil jullie niet meer zien!"

Het beeld verdween en Charles voelde zich wakker worden in een ziekenhuis: "Ik lig in een bed, sliep toen ze me wakker maakten om me te eten te geven. Maar ik wil niet eten, ik zet het bord neer. De mensen worden boos op me, ze willen me dwingen te eten. Maar ik haat het, ieder deel van mijn lichaam is dit eten dat ze me geven. Ik wil niet leven, ik ga liever dood dan zo verder te leven. Het is donker, ik ontwaak, ik kijk om me heen en hoor een kind huilen en schreeuwen. Ik ben in een ziekenhuis voor kinderen. Het is hier vol met koude mensen die zich nergens mee bemoeien. Oh, mijn been, mijn been!" Charles gaf uitdrukking aan een onhoudbare pijn.

Plotseling versprong het beeld en werd hij wakker als een soldaat in 1917 tijdens een gevecht. Het Duitse leger is gealarmeerd door de aankomst van de eerste Amerikaanse troepen en verhevigt het offensief in een poging door het geallieerde front te breken. Het gevecht is hevig. Tijdens een aanval zag Charles zichzelf rennen door de modder, samen met andere soldaten. Plotseling explodeert een granaat in zijn nabijheid en grist een deel van zijn rechtervoet weg. Hij verliest zijn bewustzijn door de schok van de hevige pijn. Niemand kon hem toen helpen. Hij overleed in een paar minuten, heel boos omdat hij zijn verwanten niet kon zien en omdat hij geen hulp had gekregen.

In een ander leven stierf Charles aan de gevolgen van gangreen... Het leek alsof het been van Charles een soort oud geheugen bevatte dat er altijd voor zorgde dat het werd verwijderd. In geen van zijn levens was Charles in staat hierover zijn kwaadheid te uiten.'[30]

In nummer 10 van het tijdschrift *Bres* beschrijft Tom Ordelman hoe de uit Eindhoven afkomstige ex-beroepsmilitair Roel de Loome min of meer per toeval in contact komt met paragnost René Groote. Op aanwijzingen van deze helderziende gaat De Loome met zijn vrouw in Frankrijk op zoek naar zijn vorige leven. Voor zijn vertrek vindt hij vage aanwijzingen dat hij in de buurt van Verdun moet gaan kijken.

Amerikaans gedenkteken te Montfaucon

Bij het Amerikaanse gedenkteken van Montfaucon, even ten noorden van Verdun, komen ze bij een begraafplaats. De beheerder ervan slaat het register, een boekwerk met de namen van 16.000 gesneuvelden, open. Meteen valt de naam Walter Looman door de grote gelijkenis op. Ondanks dat de naam grotendeels overeenkomt met De Loome blijft de nodige scepsis bestaan; totdat ze niet veel later voorrang moeten verlenen aan een vrachtwagen met de opdruk 'Looman'. Het toeval lijkt te groot.

Terug in Nederland nemen ze weer contact op met André Groote. Ze laten hem een toeristische kaart van de streek zien waar ook foto's van de bezienswaardigheden op staan. Zonder aarzelen wijst Groote op het monument van Montfaucon als de plaats die hij tijdens hun eerdere ontmoeting 'gezien' had.

Korte tijd later besloot Roel de Loome om opnieuw naar Montfaucon af te reizen, deze keer in gezelschap van een vriend. Op 27 september 1979 staan ze samen op de begraafplaats van Montfaucon en kwamen erachter dat Walter Looman op 27 september 1918 was gesneuveld!

Uit informatie die The American Battle Monuments Commission uit Washington opstuurt blijkt later dat Looman uit Rotterdam (USA) komt, De Loome is in Rotterdam geboren.

Tijdens een levensregressie lukt het de gerenommeerde therapeut Henri Vidal de St. Germain uit Zeist om De Loome terug te voeren naar de jaren 1917-1918. Walter Looman vertelt hoe hij zich als vrijwilliger voor het Amerikaanse leger meldt. Hij beschrijft zijn uniform, de militaire opleiding en de bootreis naar Europa. Tevens beschrijft hij een ontscheping in Cardiff, maar uit archieven blijkt dat de eenheid van Looman nooit in Cardiff geweest kan zijn.

Ook de oorlogshandelingen en het moment dat hij dodelijk gewond door een legerarts, die geen mogelijkheid zag hem te behandelen, te sterven wordt gelegd worden tot in detail door Looman verteld.

Na analyse van de op band opgenomen uitspraken kwam de reïncarnatie- en regressiespecialist Hans ten Dam (schrijver van diverse boeken over onder andere reïncarnatie) tot de conclusie dat het geval Looman/De Loome authentiek is, bedrog zou zeer onwaarschijnlijk zijn.[31]

Ik schreef het al: Bob Brunsdon uit Gloucester werd uit het Mametz Wood in de buurt van de Somme verjaagd. Ook voor de Schotse leraar Ivor Lee kreeg de naam Mametz Wood op 49-jarige leeftijd een aparte betekenis: hij hoorde er soldaten praten die al lang waren gesneuveld en vond er zijn verleden. Het was voor hem een weinig prettige ervaring: 'In juni 1996 hadden een

vriend en ik een bezoek gebracht aan het 38th (Welsh)Division Red Dragon Memorial en reden we in de richting van de Flat Iron Copse CWGC-begraafplaats. Ongeveer halverwege het kerkhof bracht mijn vriend de auto tot stilstand bij een pad dat toegang bood tot Mametz Wood. Hij zei dat hij in het bos ging kijken. Toen de wagen stopte kreeg ik het plotseling koud (die dag was het zonnig en heet) en ik voelde dat ik hier eerder was geweest, hoewel het in feite mijn eerste bezoek aan deze streek was. Ik wilde het Mametz Wood niet in en vertelde, als excuus, dat ik op de kaart het volgende deel van onze reis wilde bestuderen. Mijn vriend ging via het pad het bos in en een paar minuten later realiseerde ik me dat hij mijn naam riep. Ik bedacht me dat er misschien iets niet goed ging en dus stapte ik uit de auto en begon naar hem toe te lopen. Terwijl ik dat deed hoorde ik mannen tegen elkaar praten, wat ze zeiden kan ik me niet precies herinneren maar ik besefte dat het soldaten waren die tegen elkaar praatten. Mijn vriend zei: "Hoorde je me niet, ik riep en riep je maar!" Toen keek hij naar me en zei: "Wat is er met je aan de hand, je ziet wit als een stuk papier." Ik antwoordde: "Ik was hier al eerder." We spraken er de rest van de dag over en ik moet toegeven dat dit mijn zenuwen tot rust bracht.

In september 1997 brachten mijn vrouw en ik een bezoek aan de streek bij de rivier de Somme. Het was haar eerste bezoek aan dit gebied. Bij deze gelegenheid reed ik vanuit Bazentin-le-Petit in de richting van Flat Iron Copse Cemetery (ik reed er dus naartoe vanuit de tegenovergestelde richting als tijdens mijn bezoek in 1996). We bekeken het kerkhof en reden verder naar het 38th (Welsh) Division Red Dragon Memorial. Ik wil nog duidelijk maken dat mijn vrouw niet wist dat het hier was waar ik eerder mijn ervaring had. Toen we de plek naderden voelde ik mij opnieuw onbehaaglijk en opnieuw hoorde ik duidelijk stemmen. Mijn vrouw zei zoiets als: "Ik heb een hekel aan deze plek, het is onplezierig!" Zoals je je kunt voorstellen was ze verbaasd toen ik vertelde dat het hier was waar ik vorig jaar mijn vreemde ervaring had.

Ik voel me nog steeds onprettig bij de gedachte aan Mametz Wood en kan niet uitleggen waarom zowel mijn vrouw als ik reageerde zoals we deden.'[31]

HOOFDSTUK 8

Talbot House

T ijdens de Eerste Wereldoorlog lag Poperinge, in België, net achter het front. Bijna iedere Britse militair op weg naar de sector Ieper kwam hier per spoor aan. In het stadje waren ziekenhuizen, munitie- en goederenopslagplaatsen en diverse militaire hulpdiensten.

Doordat de soldaten in de loopgraven zich niet dagelijks konden wassen, kreeg vrijwel iedere militair in de gevechtslinies op den duur te maken met luizen en vlooien. De van het front terugkerende soldaten hadden in een oude leegstaande fabriekshal te Poperinge de mogelijkheid zich in drie enorme watervaten, oplopend in zuiverheid, te baden en zich van de irritante beestjes te ontdoen. Voor veel overgebleven bewoonsters van het stadje was het wassen van militaire kleding een uitstekende mogelijkheid wat bij te verdienen in de moeilijke tijden. In Poperinge waren volop gelegenheden waar de soldaten, onderweg naar het front of op verlof, zich konden vermaken. In restaurantjes, kroegen en bordelen smeten de militairen met geld, wellicht omdat hun levensverwachting niet al te best was. Om aantasting van de militaire hiërarchie te voorkomen waren de uitgaansgelegenheden, zelfs de huizen van plezier, ofwel toegankelijk voor officieren, ofwel toegankelijk voor lagere rangen. In het klassenbewuste Britse leger was het bijna ondenkbaar dat een officier een

maaltijd nuttigde samen met een niet-officier. Het zou een aantasting kunnen vormen van de discipline...

Lichtend voorbeeld en positieve uitzondering vormde Talbot
House. Aan de gevel van deze Britse soldatensociëteit hing een
groot bord met als opschrift: 'Abandon rank all ye enter here' om
aan te geven dat er geen rangen en standen golden. Naamgever
was Gilbert Talbot, de jongere broer van hoofdlegeraalmoezenier
Neville Talbot, die op 30 juli 1915 sneuvelde in de buurt van
Sactuary Wood. Aalmoezenier Philip 'Tubby' Clayton kreeg van
zijn vriend en meerdere Neville Talbot opdracht de christelijke
'Every Man's Club' op te richten. Tubby was wars van maatschappelijke status en uiterlijk vertoon. Hij was slecht gekleed,
klein en dik. Zijn bijnaam betekent zoiets als tonnetje.

Ondanks zijn sjofele verschijning was Tubby een bijzonder inspirerende persoonlijkheid. Hij zorgde ervoor dat iedere bezoeker
zich welkom voelde. De losse en ontspannen sfeer in 'The Old
White House' was dan ook zijn persoonlijke verdienste. Een
andere markante figuur in Talbot House was soldaat Arthur
Pettifer, beter bekend als The General. Hij was een trouwe metgezel van Tubby Clayton en had een aangeboren talent goederen
en andere zaken te 'regelen en te ritselen'.

Beneden in Talbot House waren ontmoetingsruimten, een ervan
herbergde een biljart. Op de eerste verdieping was de biblio-
theek. Lid worden was niet nodig, de soldaten leverden hun pet
of baret in als onderpand. Boven, onder de hanenbalken, was de
Upper Room, de kapel. De gasten van aalmoezenier Clayton
waren niet verplicht zich met godsdienst bezig te houden, maar
velen vonden steun in de missen die in de Upper Room werden
gehouden. Door de wijze waarop Philip 'Tubby' Clayton deze
presenteerde voelden niet alleen anglicanen maar ook andere
christenen zich tijdens de diensten thuis.

Vanaf 11 december 1915 tot januari 1919 kon iedereen in Talbot
House terecht. Door de enorme toestroom van militairen werd
de ruimte al snel te klein. Vanaf 3 december 1916 werd ook
gebruikgemaakt van een leegstaande hopschuur die aan de tuin

van Talbot House grensde. Ook in deze 'Concert Hall' konden de soldaten, al was het maar voor heel even, de ellende van de oorlog vergeten. Er werden goochelshows, lezingen, zanguitvoeringen en bijvoorbeeld toneelstukken gegeven. Alleen tussen mei en september 1918 waren de deuren van Talbot House wegens hevig vijandelijk granaatvuur gesloten. Tijdens de oorlog hadden vrijwel alle belendende percelen zware schade opgelopen. Als door een wonder werd Talbot House nauwelijks geraakt.

Nog steeds kan Talbot House worden bezocht. Het pand is grotendeels in originele staat en is een levend museum. De dagelijkse leiding is in handen van Jacques Ryckebosch. De man is weliswaar geen priester maar desondanks een waardig opvolger van Tubby Clayton. Hij is het die de gasten op bezielende wijze rondleidt door het pand en er met zijn warme persoonlijkheid zorg voor draagt dat veel van de tradities uit het rijke verleden van het huis behouden blijven. Overnachting is in Talbot House mogelijk. In totaal vijfentwintig bedden staan ter beschikking van de gasten. Voor een habbekrats is het mogelijk in Eerste-Wereldoorlogssfeer te overnachten. Het merendeel van de logés zijn Britten en nog steeds is Engels de voertaal in 'The Old White House'.
Adres Talbot House: Gasthuisstraat 43, 8970 Poperinge. Tel. 0032(0)57 - 33.32.28

Er zijn enkele verhalen bekend van geesten die zich zo nu en dan manifesteren in Talbot House, maar het zou zeker te ver voeren het pand een spookhuis te noemen. Feit is echter dat sommige gasten vertellen bijzondere dingen te hebben waargenomen. Feit is echter ook dat sommige gasten met wel erg hooggespannen verwachtingen het huis bezoeken. Ikzelf heb Toc H. (seinersjargon voor Talbot House) vaak bezocht en er ook veel geslapen. Behalve de buitengewoon warme en welkome sfeer is mij nooit iets bijzonders opgevallen. April 1999 had ik een gesprek met Jacques Ryckebosch over 'zijn' Talbot House: 'Ik ben veertien jaar geleden als een soort conciërge bij Talbot House begonnen. Sinds die tijd vragen Britten minstens vijf keer per week, soms meerdere malen per dag, aan mij: "Are there any ghosts in Talbot House?" In het begin moest ik om die vraag lachen. De mensen raakten hierdoor beledigd omdat ze vast in het bestaan van geesten geloofden. Nu lach ik niet meer om zulke vragen of over verhalen die gasten me vertellen, ik heb geleerd er respect voor te hebben. Zo heb ik ook geleerd na te denken over bijvoorbeeld een uitspraak die een stokoude veteraan uit de Eerste Wereldoorlog deed. Hij vertelde mij: "Ik ben alleen maar zo oud geworden om het verhaal van de oorlog te kunnen blijven vertellen."

Weet je, in de eerste vier, vijf jaar was ik letterlijk dag en nacht in Talbot House maar persoonlijk heb ik nooit iets bovennatuurlijks in Talbot House gezien of meegemaakt.

Het vreemde is dat het lijkt alsof alleen Britten hier vreemde dingen zien. Andere bezoekers zoals Belgen, Nederlanders of Fransen hebben me nooit iets bijzonders verteld. Maar dat hier ongewone dingen gebeuren, daarvan ben ik overtuigd. Zelf noem ik me een niet-overtuigd atheïst. Wat betreft mijn geloof weet ik het eenvoudigweg niet. Misschien dat het komt als ik wat ouder ben. Nu beschouw ik me nog als niet intelligent genoeg om alles te kunnen bevatten. Wel is het zo dat ik achting heb voor mensen die wel een sterk geloof hebben,' aldus Jacques Ryckebosch.

'Zoals gezegd, zelf heb ik hier nooit iets meegemaakt wat bovennatuurlijk zou kunnen zijn. Wel ken ik de verhalen over wat zich hier heeft afgespeeld. Zo komt er in Talbot House al jaren een jong echtpaar. Zij weigeren pertinent om in "The Chaplains Room" te overnachten. De eerste keer dat ze hier kwamen sprongen ze van vreugde bijna een gat in de lucht toen ze hoorden dat hun de Chaplains Room was toegewezen voor hun overnachting. Ze beschouwden dit als een grote eer, want het was de kamer geweest van Tubby Clayton. De volgende morgen sprak ik het echtpaar en ze vroegen me of het mogelijk was om een andere kamer te krijgen. Ik vroeg hun waarom. Ze vertelden me dat ze Tubby gezien hadden. Ze waren heel zeker van hun zaak,

Tubby had in een stoel in de kamer gezeten en bovendien hadden ze hem door de kamer zien lopen. De sfeer werd door hen zeker niet als dreigend ervaren maar toch waren ze geschrokken. Dit echtpaar was niet het enige dat dergelijke dingen heeft meegemaakt. Misschien komt het doordat gasten al met een bepaalde verwachting naar die kamer gaan, alsof de kamer bijna heilig is.
Het geloof in geesten is iets wat heel diep in de Britten zit. Zo hadden we vorige week een "dining", een social evening met mensen van de Royal Air Force. Er werd geen gebruikgemaakt van elektriciteit maar van kaarslicht om een authentieke sfeer te creëren. Op een gegeven moment hoorde ik een paar officieren zeggen: "They are with us, ze zijn bij ons." Op zo'n moment voel ik wel iets door me heen gaan. Mensen die hier in huis iets waarnemen vertellen er altijd bij: "It's a happy atmosphere, they are happy," altijd is er hier sprake van "positive vibrations". En geloof me, als ik dat hoor, dan gaat mijn haar soms rechtop staan. Talbot House absorbeert maar geeft ook veel.
Vorig jaar kregen we bezoek van een Brits echtpaar. Heel vriendelijke mensen, joviaal, nuchter, een schoolvoorbeeld van een

Kapel van Talbot House (foto B. De Grendel)

Brits echtpaar. Ik nodigde ze uit voor een rondleiding en samen kwamen we aan in de kapel. Opeens veranderde hun houding helemaal. Ik wist dat er iets met hen aan de hand was. Nadat ik mijn verhaal gedaan had vroegen ze me of ze nog wat in de kapel mochten blijven. Ik vond dat geen probleem en ging weer naar beneden. Toen het echtpaar even later ook naar beneden kwam zag ik dat ze gehuild hadden. De man zei: "We moeten u iets vertellen; terwijl u in de kapel uw uitleg gaf, zagen we rechts van het altaar een zeer grote officier met een regenjas en een kepie. And he was laughing improvingly." Weet je Richard, ik spreek goed Engels maar deze woorden kan ik niet verzinnen. Nadat ze de man verder beschreven hadden kon ik haast niet anders dan aannemen dat ze Nevill Talbot gezien hadden.

Sowieso worden veel mensen emotioneel als ze boven in de kapel zijn. Oude maar ook jonge mensen. Zo kreeg er onlangs een meisje van een jaar of zestien, zeventien ineens een hysterische huilbui. Ze was volgeschoten met emoties. Ik schrok op dat moment enorm omdat je zoiets niet van jongelui verwacht.

Vaak ook zijn mensen erg vaag over hun ervaringen. Ze vertellen dan iets vaags: "Er was iets." Ik ben werkelijk een heel nuchter mens, maar ik kan niet ontkennen dat ik regelmatig iets zie, hoor of voel bij de gasten van Talbot House,' aldus Jacques Ryckebosch.

'Nog niet zo langgeleden logeerde hier een schoolklas uit Engeland. Het waren jongens en meisjes van zo'n 16 à 17 jaar oud. Ze bekeken de streek maar gingen ook op excursie naar de Somme in Frankrijk. Zoals je weet was het daar erg tijdens de oorlog. De mannen zagen tijdens een aanval soms zelfs geen kans hun loopgraaf te verlaten doordat gesneuvelde collega's rijen dik in de weg lagen. Vreselijk moet het daar zijn geweest. Terug in Talbot House kregen de kinderen de opdracht een gedicht te maken over wat ze aan de Somme gezien hadden. Eén gedicht sprong er echt uit. Het was geschreven door ene D. Sergeant. Toen zijn leraar, een goede bekende van me, aan de jongen vroeg hoe hij op de woorden gekomen was vertelde hij dat hij de din-

231

gen echt zo had waargenomen. Hij had het gezien, gehoord en geroken. Bovendien had hij de situatie herkend, hij was er al eerder geweest. Het gedicht gaat als volgt:

LAY-BY ON THE SOMME

Pausing to rest in another time
On a tree-less waste in midnight darkness
Alone in no-man's land
Frost in the air under star-silent skies
Ploughed fields like brown waves
Failed to drown their cries.
I listened with ghostly pall to the growing din
As the longpast battle drew me in
To its wastefull horror

Once again the scream of shells and men,
The reek of gas came on the breeze.
Shadows of youth fell at my feet
Too many to count in nameless ranks,
Lost in the darkness of that torn land
Which forced me to listen to its agonies.
Fading sounds but memories strong
Stayed with me as I travelled home
When they could not.

Een heel wonderlijk gedicht,' vindt Jacques, 'zeker als je het bijbehorende verhaal kent. Volgens mij zijn de woorden niet de woorden van een kind, daarvoor zijn ze te wijs. Net zo wonderlijk is een brief die op 17 april 1999 naar me verstuurd werd. Je mag hem in je boek gebruiken maar ik vraag je ervoor te zorgen dat niemand herkend kan worden. De brief is me tenslotte in vertrouwen gestuurd.'

Beste Jacques,

Ik was sinds we uit Poperinge terugkeerden van plan je te schrijven maar ik had het erg druk en ben op vakantie geweest. Pas nu heb ik er tijd voor. Ik ben de lerares van de… school uit…, Engeland, die van 24 tot en met 27 maart 1999 in Talbot House verbleef.

Ik schrijf je op advies van… om je te vertellen over een vreemde ervaring. Tijdens de eerste nacht van ons bezoek, tussen 04.30 en 05.00 uur in de morgen, hoorde ik een mannenstem bij mijn deur. Ik nam aan dat het T.S. was die met een leerling sprak. Ik verwachtte min of meer een klop op de deur van mijn kamer (The Pettifer Room) maar dat gebeurde niet. De stem verdween en ik doezelde weer in slaap.

Ik had een levendige droom van een man die mijn kamer binnenkwam en bij me kwam staan. Hij was lang en slank met donker haar en hij droeg een wit kraagloos hemd. Hij vroeg me of ik Monica was en ik antwoordde hem: 'Nee, ik ben Marion.' Toen vroeg hij me of alles goed met me was. Tegen die tijd had ik mijn ogen wijdopen en de man was nog steeds in mijn kamer. Ik vroeg me af wie hij was en wat er aan de hand was. Ik nam aan dat hij een huismeester was die ik nog niet had ontmoet en dat er een probleem was met een van de leerlingen. Maar nog voor ik vragen kon stellen verdween hij. Ik vroeg me af hoe hij de kamer had verlaten want de deur was nog steeds dicht.

Hoewel ik op dat moment niet geschrokken was en ik me zeker niet bedreigd voelde, was ik wat beverig. Ik probeerde dat wat gebeurd was te accepteren. Je had wel eens verteld dat je enkele verhalen over geesten kende maar ik denk niet dat ik het fenomeen ooit erg serieus genomen had. Ik probeerde de belevenis zo goed en kwaad als ik kon als een droom te verklaren maar dit lukte niet erg goed.

Ik besloot het incident voor mezelf te houden, tenzij zich een goede gelegenheid zou voordoen waarbij ik er met jou over kon praten. Ik was bang dat de mensen me voor gek zouden verklaren en dat de leerlingen er opgewonden of hysterisch op zouden reageren.

Echter, op de laatste dag van onze reis gebeurde iets wat me van gedachte deed veranderen. We waren in de bewaard gebleven loopgraven in de buurt van Ieper waar ik met drie meisjes van de zesde klas sprak. Een van hen had het over Talbot House. Ze vertelde dat ze van haar verblijf in Talbot House had genoten maar dat ze het er erg spookachtig vond en dat ze had gehoord dat een paar leerlingen in hun kamers, en in de kapel, 'een aanwezigheid' hadden gevoeld.

Een ander meisje, Helen, vertelde dat ze dit zonder meer geloofde want ze had zelf ook een heel erg vreemde belevenis gehad. Toen ze zich net had aangekleed, op de eerste morgen van ons verblijf, zat ze op het voeteneind van haar bed om haar schoenen aan te doen toen ze vanuit haar ooghoek iemand zag in de deuropening. De andere twee meisjes hadden de kamer verlaten om beneden te gaan ontbijten en ze dacht dat een van hen iets vergeten had en daarom terug was gekomen. Echter, toen ze goed keek zag ze een lange slanke man met donker haar staan. Terwijl ze zich afvroeg wie de man was zag ze hoe hij als het ware langzaam in rook opging.

Natuurlijk vertelde ik toen ook mijn verhaal en beiden waren we opgelucht te weten dat we niet gek waren. Helen is een buitengewoon gevoelig en betrouwbaar meisje, zeker niet het type dat sensationele verhalen verzint. Ook zij had 's nachts een mannenstem op de overloop gehoord. Ik heb later aan T.S. gevraagd of hij tijdens de nacht met iemand had gesproken maar hij vertelde me niet eens wakker te zijn geweest. Helen en haar vriendinnen sliepen in de kamer tegenover de mijne. Omdat ik in zijn voormalige kamer sliep ben ik ervan overtuigd dat de verschijning die van Pettifer was.

Met vriendelijke groet,
Marion

'Ik zei het al eerder,' gaat Jacques Ryckebosch verder, 'zo nu en dan ervaren sommige mensen in dit huis ongewone dingen maar nog nooit is er iemand geweest die dat als bedreigend heeft ervaren. Het lijkt wel alsof mensen het accepteren als iets wat bij Talbot House hoort. Ze verbazen zich erover zonder angstgevoelens te krijgen. Zo vertelde vorige week nog een Brit hoe hij de tuin, de eetzaal, de eerste verdieping, de tweede verdieping en uiteraard de kapel op video had vastgelegd. Toen hij op de eerste verdieping met zijn camera bezig was gebeurde er volgens hem iets vreemds. Hij nam, met de klok mee, shots van de deuren van achtereenvolgens de Berat Room, de General's Room en de Dunkirk Room om te eindigen met de Chaplains Room.

Die Chaplains Room is de kamer die Tubby in gebruik had. Toen hij de deur van de Chaplains Room filmde opende deze zich opeens een halve meter. Het vreemde was dat er niemand in de kamer was. Hij kon geen verklaring geven of verzinnen hoe het kon dat de deur zich opende. De Brit, een heel nuchtere vent en naar mijn mening zeker geen fantast, vertelde dat hij vaak naar de opnamen kijkt. Hij is erdoor gefascineerd. Zou het een invitatie van Tubby zijn geweest...?'[32]

HOOFDSTUK 9

Rob van Zanten, magnetiseur/therapeut

Naar aanleiding van de oproep die de journalist Rob Ruggenberg voor me op Internet plaatste nam Rob van Zanten uit Oud-Beijerland contact met me op. Hij had het berichtje 'per toeval' gelezen. Op 24 januari en 28 februari 1999 had ik een gesprek met Rob en zijn vrouw Anja. Rob van Zanten: 'Tijdens mijn leven en later ook in mijn werk als magnetiseur/therapeut heb ik geleerd hoe de natuurwetten, waarvan reïncarnatie er een is, werken en hoe ze in elkaar grijpen. Dat heb ik geleerd door te doen, te ondergaan en door te observeren. Belangrijk daarbij is dat je het leven realistisch en met zo min mogelijk discussie ondergaat.

Tijdens dit leerproces kreeg ik de harde "bewijzen" waar je als mens nu eenmaal om vraagt. Toen het bewijs, wat betreft de reïncarnatiewetmatigheid, voor mezelf sluitend was, was ik er eigenlijk mee klaar en hoefde ik er "alleen nog maar" naar te leven. Ook nu nog merk ik in de praktijk dat het klopt. Ik probeer met deze kennis zo bewust mogelijk om te gaan. Uitgangspunt is voor mij de reïncarnatiewetmatigheid waarbij de levens een soort school zijn van eerste klas, de grote vakantie kun je zien als de dood, tweede klas, grote vakantie, derde klas enzovoort. Het is belangrijk je leven, de klas, zo goed mogelijk door te komen om in je volgende leven met een zo breed mogelijke basis van start te kunnen gaan. Ik leg het bewust wat eenvoudig uit, maar je zou

236

dus kunnen zeggen dat wat je nu als mens bent de optelsom is van de levens die je eerder geleefd hebt,' aldus Rob van Zanten. 'Op het moment dat je geboren wordt is je lichaam weer klein en onbeholpen. Maar het stukje dat je echt bent, je ziel, je geest, je pure bewustzijn of hoe je het noemen wilt, dat is er nog steeds en nog steeds hetzelfde. Het is wel zo dat tijdens je geboorte de herinneringen aan je vorige levens zijn gewist. Dit gebeurt op het moment dat het kind door het geboortekanaal wordt geperst. Het wissen is een soort veiligheidsklep om weer schoon aan een nieuw leven te kunnen gaan beginnen; het zou voor een kind werkelijk ondraaglijk zijn om te moeten beginnen met de herinneringen van een volwassene uit een vorig leven. Het kind zou dan vlak na de geboorte al een soort burn-out hebben. Dat kan niet, dat is onmogelijk, dat kan niemand aan.

Veel van die ervaringen en emotievelden uit het vorige leven zijn echter wel opgeslagen en latent aanwezig.

In principe is het zo dat als iemand sterft, hij loskomt van het lichaam en zichzelf "uitleest". Simpel gezegd: je oordeelt over jezelf. Je gaat na wat je goed en wat je fout gedaan hebt tijdens je leven. Dat wat tijdens het leven nog niet uitgewerkt is vormt een emotiespanning, die je meeneemt naar het volgende leven. Dit proces van de balans opmaken duurt in ons deel van de wereld zo'n drie dagen en is afhankelijk van het klimaat en het verloop van chemische processen. Door de afbraak van de cellen in het lichaam komen magnetische velden vrij die zich samenvoegen om naar het gedeelte te gaan waar je geestelijke ontwikkeling zich bevindt.

Problemen ontstaan als mensen te vroeg overlijden zoals tijdens ongelukken, maar vooral tijdens oorlogen. De fysieke en geestelijke aspecten van het overlijden worden dan als een trauma ervaren en soms zelfs als een lichamelijk zwakke plek naar het volgende leven meegenomen. Je wordt er dan opnieuw mee geconfronteerd. Stap voor stap moet je leren ermee om te gaan om de kwaliteit van het leven, en de invloed die je erop hebt, te verbeteren. Soms lukt dit niet alleen en dergelijke mensen help ik in mijn praktijk. Ik behandel en verhelp klachten die volgens de reguliere geneeskunst niet behandelbaar zijn of zelfs maar te diagnosticeren en hun oorsprong hebben in een vorig leven. In de praktijk is het meestal zo dat de laatste twee levens het eerst weer naar boven komen. Deze levens zijn dan ook het kortst geleden en kunnen, als ze beëindigd zijn zonder dat alle traumatische ervaringen verwerkt zijn, de oorzaak zijn van problemen in het huidige leven.

We maken nu een ontwikkeling mee in de evolutie van de mensheid die heel hard gaat en die gekoppeld is aan een enorme tijdsdruk waar we vanuit de kosmos mee te maken hebben. Steeds meer mensen nemen daardoor flarden bewustzijn en herinneringen uit hun vorige levens mee. Die herinneringen zijn hun eigen herinneringen. Op het moment dat iemand een bijzondere belangstelling voor iets heeft, is dit vaak terug te voeren op zijn eigen verleden. Dat kent en herkent hij en heeft zijn belangstelling.

Tijdens mijn geboorte ben ik niet volledig gewist, waardoor ik dingen uit mijn eerdere levens in flarden kan zien. Dit "euvel" komt weinig voor, maar vormt voor de mensen die het overkomt vaak een enorme belasting waardoor het moeilijk is een normaal leven te leiden. Dat niet volledig gewist zijn komt voor bij minder dan 1% van de wereldbevolking. Het heeft een paar voordelen maar veel meer nadelen, vandaar dan ook dat ik het een handicap noem. Door de jaren heen heb ik geleerd ermee om te gaan en er zelfs mijn voordeel mee te doen. Zo kan ik bijvoorbeeld redelijk goed omgaan met de "bijzondere" zintuigen die bij ieder mens in principe in aanleg aanwezig zijn. Dit zijn de zintuigen die we naast de bekende vijf hebben en die nu vaak foutief als paranormaal bestempeld worden terwijl ze in wezen eigenlijk normaal zijn. Door het ontwikkelen van deze andere zintuigen heb ik de mogelijkheid om dingen bij mensen te zien. Ik zie en hoor dingen bij mensen en kan deze informatie gebruiken om een patiënt te behandelen, vaak in samenspraak met een huisarts en specialist.

Mijn vorige leven is, door het niet gewist zijn, net zo levend voor me als mijn huidige leven. Net zoals ik me een vakantie van tien jaar geleden kan herinneren, zo kan ik mijn vorige leven herinneren. Toen ik mijn vorige leven historisch ging nazoeken kwam ik erachter dat ik als jongen van achttien als vrijwilliger dienst nam bij het 57ste Regiment Infanterie Herzog Ferdinand von Braunschweig. Mijn militaire opleiding kreeg ik in de kazernes van Wesel, waarna het regiment via Elzas-Lotharingen en België optrok naar Frankrijk. In 1914 vocht het 57ste bij Luik, aan de Marne, bij Reims, Lille, Aubers en La Bassée. In 1915 werd het regiment voor een tweede keer ingezet bij La Bassée en na een periode van "Ruhe und Ausbildung" zelfs voor een derde keer. Begin 1916 werd mijn regiment te Tournai een periode van rust gegund waarna we ingezet werden tijdens de Slag bij Verdun. We vochten bij Cumières, de Mort-Homme, de hoogte van Caurettes en Thiaumont. Vroeg in het jaar 1917 moet ik zijn gesneuveld…

Een vervelend fenomeen is dat als iemand niet beseft dat hij dood is, hij kan blijven "hangen". Hij gaat dan na het loskomen en het uitlezen niet door de tunnel van licht om verder te gaan met de cyclus van reïncarnatie, maar zijn geest blijft rondspoken of ronddolen op de plek of in de buurt van zijn fysieke dood. De laatst geleefde dag beleeft zo iemand steeds opnieuw met alle toen beleefde gebeurtenissen, in een soort repeterende werking. Hij zal zich hiervan echter niet bewust zijn omdat in de geest geen tijd bestaat, tijd zegt de ronddolende geest eigenlijk niets. Bovendien is het zo dat zo'n dolende ziel iedereen die hij in het heden ziet zal waarnemen in de hoedanigheid zoals de bezoeker tijdens het leven van de dolende was. Met andere woorden: als de bezoeker een Duitse soldaat was en de ronddolende een Fransman, dan zal de dolende de bezoeker als vijand zien en zich ook als zodanig laten voelen. De aanwezigheid van al deze duizenden overledenen die nog niet overgegaan zijn en die nu nog steeds rondhangen op de slagvelden is voor bijna iedereen voelbaar. Afhankelijk van het bewustzijnsniveau van de bezoeker zal de dolende ziel kunnen worden waargenomen, variërend van een onbehaaglijk gevoel tot complete manifestatie. In het laatste geval spreken we van een verschijning.

In principe is het zo dat als iemand overlijdt zich twee processen gaan voordoen: een lichamelijk en een geestelijk proces. Er ontstaat een keten van gebeurtenissen. Deze keten kan onderbroken worden als iemand sterft zonder dat hij het zelf weet, zonder dat hij zich ervan bewust is, of als iemand zeer gewelddadig of ruim voor zijn tijd doodgaat. Dan krijg je te maken met mensen die blijven hangen.

Op het moment dat iemand geen stofkleed heeft, geen lichaam, bestaat de tijd niet meer. Het betekent dat op het moment dat zo iemand tien jaar dood is, om het maar zo te noemen, hij dat niet ervaart zoals hij dat tijdens zijn leven zou ervaren. Die tien jaar beleeft hij misschien als tien minuten in vergelijking met onze tijdsbeleving. Of ze dus tien jaar of honderd jaar blijven hangen, maakt ze niet uit. Ze realiseren het zich eenvoudigweg niet.

Toch hebben ze, vaak zonder dat ze het weten, wel degelijk een probleem.

Op veel oude slagvelden waar dan ook ter wereld zijn van dit soort geesten aanwezig, maar aan het oude westfront van de Eerste Wereldoorlog, met als epicentrum Verdun, geldt dit wel in zeer sterke mate. Voor ons mensen die nu leven is het heel moeilijk om contact met ze te maken en we kunnen eigenlijk alleen maar hopen dat ze uiteindelijk voldoende inzicht krijgen, en acceptatie van hun situatie, waardoor ook zij verder kunnen. Ik adviseer bezoekers om de velden, bossen, bunkers, loopgraven en bomkraters altijd met respect te betreden. Niet alleen voor hen maar ook voor jezelf. Op plekken zoals bij Verdun, aan de Somme en bij Ieper zijn nog duizenden overledenen aanwezig, niet alleen onder maar ook boven de grond. Ooit zullen ze het besef moeten krijgen dat het voor hen afgelopen is. Ze kunnen dan het normale traject van de reïncarnatie opgaan, op weg gaan naar de volgende ronde.

Op het moment dat wij daar als levenden op bezoek komen, en als je er gevoelig voor bent, dan hebben een heleboel van die achtergebleven geesten de mogelijkheid om zich geheel of gedeeltelijk te manifesteren. Het is niet dat ze dit zo graag willen, maar puur omdat ze niet kunnen ontsnappen aan de repeterende werking waarin ze zich bevinden. Wij kunnen deze dolende zielen het beste waarnemen tegen de tijd dat het schemerig wordt, als de lichtbreking anders wordt. Deze ervaring is niet altijd even prettig en zeker niet als je er niet op voorbereid bent. In onze westerse maatschappij zijn we niet opgegroeid met het idee dat het zo is, maar op het moment dat de natuurkundige omstandigheden goed zijn, kun je die overleden mensen dus gewaarworden, en dat kan op diverse manieren. Het lijkt misschien wat zweverig, maar vergeet niet dat we hierbij gewoon te maken hebben met natuurwetten waarvan reïncarnatie er een is.

Samen met mijn vrouw Anja kom ik nu al weer zo'n tien jaar in Verdun en de wijde omgeving. Later namen we ook onze kinderen en vrienden mee. Aan de hand van oude stafkaarten, regimentsgeschiedenissen en wandelkaarten maken we daar lange wandeltochten. Gelijktijdig houden we ons bezig met wat wel de jongste tak van de archeologie wordt genoemd: de militaire archeologie.

Eigenlijk stappen we in Noord-Frankrijk in ons eigen verleden en we zijn ons dat dan ook steeds meer gaan beseffen. De eerste jaren kwamen hierbij veel emoties vrij en we waren keer op keer behoorlijk onder de indruk. Tegenwoordig zijn we wel wat gewend, maar het blijven toch altijd beladen uitstapjes. Onze gevoelens variëren van intens verdriet, ook voor de voormalige strijders, tot vreugde dat we er nu weer kunnen zijn maar toch de mogelijkheid hebben om weer naar huis te kunnen.

We komen op plekken waar we ons zo onbehaaglijk en bekeken

Rob van Zanten op het Duitse kerkhof van Apremont

voelen, dat we er snel weer weggaan. Maar soms ook komen we ergens waar we ons uitermate welkom voelen. Het laatste overkwam mij en mijn vrouw in september 1992. Na een aantal dagen graven in grauw, regenachtig weer in de buurt van Verdun kwamen we onverwachts langs een begraafplaats van Duitse militairen in de buurt van Apremont. Het lag heel afgelegen, midden

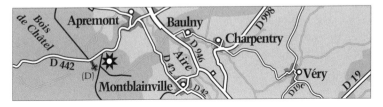

in de bosrijke omgeving en naast een klein weggetje. Toen we onze auto parkeerden begon de zon ineens fel te schijnen en het werd zelfs aangenaam warm. Met een gevoel van meer dan welkom te zijn betraden we het kerkhof van het 27ste Landwehr Infanterie Regiment. De zerken waren rondom een grote oude boom, midden op de begraafplaats, gegroepeerd.

Terwijl er opvallend veel vogels floten liepen we langs de graven en lazen de namen en data. Op de grens van het kerkhof en het bos was een heg waar we enkele van de oorspronkelijke grafstenen vonden. Ze waren prachtig gedecoreerd en droegen vaak ontroerende opschriften. We voelden ons zo op ons gemak bij onze "gastheren" dat we bijna een uur gebleven zijn en van het zonnetje en de rustige omgeving genoten.

In juni 1990 bezochten mijn vrouw en ik voor het eerst de restanten van het dorpje Fleury. We waren alleen en het regende

243

behoorlijk. Om ons te beschermen hadden we regenjassen gefabriceerd door vuilniszakken open te knippen en die als een soort poncho te gebruiken. Enigszins bedrukt liepen we door de straatjes van wat eens een dorp was waar mensen woonden en werkten. Plotseling zag ik vanuit mijn ooghoek een drietal spelende kinderen, twee meisjes en een jongetje. Ik wilde juist tegen Anja vertellen hoe vreemd ik het vond dat ondanks het slechte weer de kinderen hier buiten speelden, toen ik me realiseerde dat ze wel erg ouderwets gekleed waren. Het was een korte, eenmalige ontmoeting. Tijdens latere bezoeken heb ik de kinderen niet meer gezien.

Nadat we in februari 1991 fort Souville gepasseerd waren besloten we de auto in de berm te zetten om wat uit te rusten. Het was iets na vijven in de middag, al schemerachtig, en koud weer.

We stonden tegen de auto geleund en keken uit op de bosrand die zo'n dertig meter van ons verwijderd was. Een deur van de auto stond open en in het verder verlaten landschap klonk luid de muziek van U2, het nummer *Van Diemensland*. Plotseling verschenen in de bosrand enkele gedaanten die koortsachtig door elkaar liepen. Het ging om Franse en Duitse soldaten maar ze schenen elkaar geen kwaad te doen. Dit was de enige keer dat ik Duitsers en Fransen samen zag. Uiteindelijk telde ik ongeveer twaalf man. Na ongeveer een minuut verdwenen ze langzaam uit het zicht, alsof het toevallige passanten geweest waren. Het gekke was dat het Franse én Duitse soldaten waren. Het deed me denken aan de verhalen over de onofficiële wapenstilstand die zich rond kerst 1914 afspeelde, het zag er heel vredig uit. Het lijkt alsof er op zulke momenten een soort vacuüm ontstaat, een indrukwekkende stilte. Stiller dan stil.

Oktober 1992, samen met drie vrienden bracht ik een bezoek aan fort Douaumont. Voor hen was het de eerste keer dat ze dit fort bezochten en doordat ze de voorgaande dagen op de slagvelden hadden doorgebracht, waren ze behoorlijk bedrukt. Toen ze het fort in de verte zagen liggen hadden ze moeite om door te gaan, maar ten slotte gingen ze schoorvoetend naar binnen.

Het was vlak voor sluitingstijd en behalve wij was er niemand in het fort aanwezig. Na een tijdje gedwaald te hebben door de gangen, slaapzalen en andere vertrekken kwamen we bij een dichtgemetselde gang. Achter deze muur liggen de knekels van een groot aantal slachtoffers van een tragedie die op 8 mei 1916 in het fort plaatsvond. Op dat moment was het fort in Duitse handen en overvol met gewonden die in het noodhospitaal lagen en soldaten die de verstikkende lucht in het fort prefereerden boven de risico's die ze buiten liepen. De oorzaak van het ongeluk dat op die dag plaatsvond is nooit met zekerheid achterhaald, maar waarschijnlijk vatte de vlammenwerperolie door een onachtzaamheid vlam. Enkele mannen verbrandden en de soldaten die uit de kamer wegvluchtten waren zwart van het roet. Er ontstond paniek bij de andere Duitsers omdat deze dachten dat de gevreesde Franse zwarte troepen uit Senegal het fort waren binnengedrongen. De roetzwarte militairen werden onder vuur genomen en er werden handgranaten naar gegooid.

Door deze exploderende handgranaten detoneerden de stapels buit gemaakte Franse granaten, waaronder vele gevuld met strijdgas. Uiteindelijk keerde de rust terug in het fort en werden zeshonderdnegenenzeventig doden geteld. De gang waarin de ramp had plaatsgevonden werd gevuld met de slachtoffers en eenvoudigweg dichtgemetseld; buiten begraven was door het zware vijandelijk vuur onmogelijk. Nog steeds liggen de lichamen van deze zeshonderdnegenenzeventig mannen achter de gemetselde muur. Deze overwegend uit Brandenburg afkomstige soldaten hebben zelfs nu nog een enorm probleem doordat hun lichamen direct na hun overlijden bedekt werden met een laag ongebluste kalk.

Zoals eerder gezegd heeft de geest normaalgesproken drie dagen nodig om het lichaam uit te lezen. Deze drie dagen zijn nodig om je eindafrekening te maken, om het logboek van je leven "na te lezen". Doordat de gesneuvelde Duitsers echter bedekt werden met een laag ongebluste kalk raakte het chemische proces, dat zich na de dood in het lichaam afspeelt, definitief verstoord. Dit natuurlijke chemische stervensproces is nodig om de geest de kans te geven het lichaam goed uit te lezen. Het gebruik van de ongebluste kalk zorgde er dus voor dat de zeshonderdnegenenzeventig Brandenburgers nog steeds aanwezig zijn en geen kans zien verder te reïncarneren.

De enorme druk van oude en nieuwe emoties die tijdens ons bezoek op dat moment nog steeds in het fort hing werd mijn drie vrienden, die ook op de hoogte zijn van de reïncarnatiewetmatigheden, te veel. In zeer korte tijd stonden ze weer buiten, waar ze hun tranen de vrije loop lieten…

Achteraf bleek dat ze geen van hun drieën de juiste toedracht van het ongeluk kenden maar alledrie hadden ze, onafhankelijk van elkaar, het gevoel gehad dat ze op die plaats makkers verloren hadden. De directe confrontatie ermee was ze op dat moment te veel geworden.

Oktober 1993, midden in de zogenaamde Zone Rouge, in de buurt van fort Vaux, ligt een klein ravijn dat deel uitmaakt van het

Bois Fumin. Tot nu toe zijn we er zes of zeven keer geweest. Het typische van deze kloof is dat wij er nog nooit een vogel hebben horen fluiten terwijl in de directe omgeving ervan de beestjes altijd vrolijk hun gang gaan. Opvallend is dat dit ravijn bezaaid is met overblijfselen uit de oorlog. We hebben er onder andere stalen bouwsels met prikkeldraad, veldflessen, draadscharen, skeletresten, roestige geweren, bajonetten, resten van schoenen en patroontassen en zelfs een complete veldkeuken met soepgamellen, kookpotten en etensblikken aangetroffen. Het stukje slagveld leek sinds de oorlog onaangeroerd. Heel vreemd, zeker als je bedenkt dat het gebied sinds 1919 schoongemaakt is, eerst door Duitse krijgsgevangenen en later door de Franse overheid. In het omliggende gebied zijn wat monumenten maar verder is er niet veel te zien.

Bunker waar Van Zanten bijna verongelukte

247

Op weg naar het ravijn, vlak voor de afdaling, passeer je een vrij groot onderkomen, een betonnen bunker waar de soldaten konden schuilen tijdens artilleriebeschietingen. De eerste keer dat ik er kwam wilde ik, geheel onvoorbereid, de aardedonkere ruimte in. Nadat ik een paar passen gezet had werd ik vastgegrepen aan de voorkant van mijn schouders. In eerste instantie dacht ik dat het mijn vrouw was maar dat kon niet, want dan zou ze voor me moeten staan, ik wist bovendien dat ze nog buiten was. Even later had ze een klein zaklampje uit haar rugtas gehaald en kwam ze voorzichtig naar binnen. Toen ze bij me was scheen ze voor mijn voeten. We zagen een gat in de vloer van zo'n vier meter diep dat uitkwam op een onderliggende verdieping. Ik stond met mijn voeten op het randje!
Overal staken stukken betonijzer uit zodat als je door de val niet alles zou breken, je wel gespietst zou worden. Iets of iemand heeft me voor dit ongeluk willen behoeden.

Een andere plaats waar we met enige regelmaat komen om er te graven is de Vallei van de Kroonprins in het Bois du Bel Orme.

Hier stond tijdens de oorlog de bunker van kroonprins Wilhelm von Preussen, voorzien van alle gemakken, met eromheen nog wat andere bunkers voor zijn staf en de verbindingseenheden. Iets verderop, waar het bos overgaat in een steil ravijn, stonden nog meer onderkomens voor de gewone soldaten. Dit gedeelte heet het Ravine les Précipices en doordat het tijdens de oorlog veelvuldig door de Fransen beschoten werd bestaat de grond er uit vele malen verpulverd gesteente. In maart 1995 waren we hier, samen met Joep van der Heiden en zijn vrouw Ingrid uit Numansdorp, aan het graven geweest. Het was al flink aan het schemeren en het regende toen we de plaats wilden verlaten. Om

248

onze auto's te bereiken moesten we eerst een steile klim maken, wat niet meeviel met al onze vondsten en onze graafuitrusting.'

Anja, de vrouw van Rob, vertelt: 'We hadden heel veel spullen opgegraven die naar boven moesten worden gebracht zodat we twee keer moesten lopen. Joep was alvast met spullen naar de auto gelopen en ik was op de rand van de vallei blijven zitten om te laten zien naar welke plek hij weer terug moest lopen. Rob en Ingrid waren aan het klimmen. Ik zat op ze te wachten en opeens zag ik voor me een rood lichtje. Ik dacht: hoe kan dat nou, ze zijn ergens anders en bovendien hadden ze bij mijn weten geen lamp met rood glas bij zich.

Even later voelde ik hoe iemand met mijn haar aan het spelen was, ik keek om maar zag niemand. Toch voelde ik duidelijk dat mijn haar aangeraakt werd, het komt zelden voor dat een entiteit, dat is iemand zonder stofkleed, overgaat tot een fysieke aanraking maar nu gebeurde het toch.

Tijdens mijn vorige leven was ik een eenvoudig dorpsmeisje, dus ik vormde geen bedreiging voor degene, waarschijnlijk een Franse soldaat, die door mijn haar streek.'

Rob gaat verder: 'Ik was, net zoals Joep, tijdens mijn vorige leven een Duitse soldaat, dus dat rode lampje gebruikten ze, net zoals tijdens de oorlog, om elkaar te waarschuwen. Ik had de Franse soldaten al eerder om me heen gevoeld maar voor mij is dit gevoel zo gewoon dat ik er niet echt meer bij stilsta. Wel is het zo dat ik daar altijd op mijn hoede ben. Ik voel me wat bloot doordat ik geen wapen bij me heb. Het aparte van deze gebeurtenis is dat het niet vaak gebeurt dat ze je lichamelijk benaderen en zoals in dit geval met haren spelen. Het was geen takje of zo dat door het haar van mijn vrouw streek, ze voelde echt iemand aan haar haren zitten en ze zag ook duidelijk een lampje. Joep vertelde later hoe hij van de auto naar de vallei terugliep. Toen hij op een terrein kwam waar hoge grasachtige begroeiing was voelde hij hoe hij gevolgd werd. Toen hij omkeek zag hij drie schimmen van Franse militairen wegschieten, zelf noemde hij het vervliegen. Even later voelde hij hoe de geesten weer achter hem liepen. Dit gevoel werd zo sterk en zo beangstigend dat hij steeds sneller is gaan lopen.

Toen we in 1995 in Haute Chevauchee, in de buurt van de Tranchée d'Oxholm, aan het graven waren geweest besloten we

aan het eind van de middag om wat te gaan eten en een beetje uit te rusten. Tijdens het eten zag ik achter de andere drie ineens een Franse soldaat opdoemen. Het gebeurde heel snel en onverwacht. Ik schrok enorm en wilde als in een reflex naar mijn geweer grijpen. Natuurlijk had ik geen geweer bij me maar de reactie, het instinct, was na al die jaren wel degelijk nog aanwezig. Het heden leek voor een moment over het verleden te schuiven. Zo duidelijk en dichtbij had ik nog nooit een verschijning gezien. Ik zag duidelijk zijn helm met de kam erbovenop, de dubbele rij knopen op zijn borst en vooral de vastberaden blik in zijn ogen alsof hij recht op mij afstormde! Zo snel als hij gekomen was verdween hij ook en de anderen hadden niets gezien.
Ook mijn vrouw had hem niet waargenomen, maar ze zag wel hoe ik lijkbleek werd. Zonder iets te zeggen stapten we op en een kwartier later had ik het echt gehad. Ik was licht in mijn hoofd, dood- en doodmoe en kon nog nauwelijks op mijn benen staan. Ik heb me achterover laten vallen en heb zeker tien minuten met gesloten ogen op de grond gelegen, zonder te praten of me te verroeren. Daarna knapte ik weer snel op maar de schrik bleef er nog lange tijd in zitten. Ik had met één been in mijn eigen verleden gestaan en was me werkelijk bijna dood geschrokken.

Soms nemen we tijdens onze tochten over de slagvelden de nu vijfentwintigjarige Tim Junier uit Den Haag mee, Tim is een echte graver. In juni 1996 verbleven we samen met Tim, Joep en Ingrid op de camping van Romagne. Dat is een kleine camping waar hooguit twintig tenten op passen. Daar waar nu deze camping is, was in 1916 een veldhospitaal. Tim lag te slapen in zijn tentje naast onze tenten. Midden in de nacht hoorden we hem ineens schreeuwen: "Joep, Joep! Ze komen eraan! Het is geen grap, kom me helpen!" Joep heeft toen, door het tentzeil heen, wat met Tim gesproken en het leek erop dat Tim gekalmeerd was. De volgende morgen vonden we Tim half in, half buiten zijn tent, zonder schoenen en besmeurd met modder. In zijn angstroes was Tim 's nachts gaan rondlopen om onze tenten heen in een poging zijn belagers af te schudden. Zelf wist hij zich niets over het voorval te herinneren. Het was dezelfde Tim die me eens vertelde hoe hij tijdens een ontmoeting met de schimmen van twee Franse militairen op de vlucht was geslagen. Hij rende toen voor zijn leven. Ze lieten hem zelfs struikelen. Eerst dacht hij dat hij over een boomstronk was gevallen, maar toen hij een dag later op het pad waar hij gelopen had ging kijken was er niets te zien.

In oktober 1996 ten slotte waren mijn vrouw, Joep, Ingrid en ik in het Bois de Bantheville, om preciezer te zijn in het Bois de la Racanne. Het was tegen de avond, het schemerde, toen we de

schimmen van een aantal Amerikanen, die door het bos trokken, zagen opdoemen. Ze waren te zien als een wit-gelig silhouet dat onder de knieën vervaagde. Op hun hoofd hadden ze die typische platte helm en over hun schouders hingen een soort capes. Op het moment dat ze ons zagen – ze beleven hun laatste dag nog steeds – verdwenen ze plotseling. Alsof ze op de vlucht sloegen. Zoals gezegd zien geesten die hun laatste dag herbeleven diegene die hen waarneemt in de gedaante van hoe de waarnemer er toen uitzag. Zowel Joep als ik waren voorheen Duitse soldaten. Die dag was het overigens droog en windstil, er was geen vogel te horen.

Overigens, terwijl ik dit aan je vertelde zag ik achter je een van je twee geleidegeesten. Zo'n geleider kan zich manifesteren in de vorm die hij of zij wil, maar meestal zal hij dat doen in de vorm van hun laatst geleefde leven. In dit geval als Duitse soldaat. Hij is degene die je zo inspireert tijdens je schrijven.'

WIE OVERWINT, HEM ZAL IK MAKEN
TOT EEN ZUIL IN DE TEMPEL MIJNS GODS
EN HIJ ZAL NIET MEER
DAARUIT GAAN...

Openbaring 3:12

Noten

DEEL 1

DE AANGEKONDIGDE DOOD

1. Garnier, *La Grande Pyramide; son constructeur et les prophéties,* Parijs, 1905.
2. M.C. Touchard, *Mysterie van de Pyramiden.* Vertaling R. Van Haegendoren, Katwijk aan Zee, 1978.
3. Dr. N. Alexander Centurio, *De profetieën van Nostradamus.* Vertaling E.M.J. Prinsen, Utrecht/Antwerpen, 1981.
4. Nostradamus, *De profetiën van Nostradamus.* Vertaling W.L. Vreede, Amsterdam, 1979.
5. De Fontbrune, *Les prophéties de Nostradamus dévoilées,* Parijs, z.j.
6. *De Openbaring, haar grootste climax is nabij!* Brooklyn/New York, USA, 1988.
7. Sylvia Cranston, *Het bijzondere leven en de invloed van Helena Blavatsky,* Den Haag, 1995.
8. Donald Sharkley, *The Woman shall Conquer,* Libertyville, USA, 1976.
9. Winston S. Churchill, *The World Crisis,* New York, 1931.
10. Friedrich Zurbonsen, *Die Prophezeiungen zum Weltkrieg 1914-1918,* Keulen, 1915.
11. J.H.J. Andriessen, *De Andere Waarheid,* Amsterdam, 1998.
12. I.V. Hull, *The entourage of Kaiser Wilhelm II; 1888-1918,* Cambridge, 1982.
13. Trevor Ravenscroft, *The Spear of destiny; the occult power behind the spear which pierced the side of Christ,* York Beach, USA, 1973.
14. C. Butler, *Western Mysticism,* Londen, 1947.
15. Houston Steward Chamberlain, *Die Grundlagen des Neunzehnten Jahrhunderts,* Berlijn, 1897.
16. Houston Steward Chamberlain, *Ideal und Macht,* München, 1916.

17. Houston Steward Chamberlain, *Politische Ideale,* München, 1915.
18. Diverse schrijvers, *Grote mysteries.* Onder redactie van Jos van der Woensel, Rotterdam, 1979.
19. Diverse schrijvers, *Zieners en profeten,* Lisse, 1997.
20. F. Moser, *Occulte verschijnselen,* Den Haag, 1938.
21. Lezersbrief in *Stand To,* tijdschrift van de Britse Western Front Association, 1994.
22. W. Stanley MacBean Knight, *The history of the Great European War,* Surrey Street, W.C., 1914.
23. *Ich war an allen Fronten, Österreich-Ungarn und der Erste Weltkrieg in Töndokumenten.* Geluids-cd onder redactie van Manfried Rauchensteiner, ORF-CD 578, 1996.
24. Dr. W.H.C. Tenhaeff, *Oorlogsvoorspellingen,* Den Haag, 1948.
25. *Psychische Studien* (Duits tijdschrift over parapsychologie), Berlijn, november 1918.
26. Diverse schrijvers, *14.18 De Eerste Wereldoorlog, band 5,* Amsterdam, 1975.
27. P.J. Troelstra, *Gedenkschriften,* Amsterdam, 1950.
28. Walther Johannes Stein, *The Ninth Century; World History in the Light of the Holy Grail,* Stuttgart, 1928.
29. Kevin McClure, *Visions of Bowmen and Angels.* Eigen beheer, zonder jaar. Voor inlichtingen en bestellingen: 42, Victoria Road, Mount Charles. St. Austell, Cornwell, PL25 4QD England.
30. I.E. Taylor, *Angels, Saints and Bowmen at Mons,* Theosophical Publishing Society, 1916.
31. R. Stuart, *Dreams and Visions of the War,* Londen, 1917.
32. *This England* (Kwartaalperiodiek) Wintereditie, 1982.
33. Diverse schrijvers, *De Wereld van het ongrijpbare.* Amsterdam, 1984.
34. Inleiding door Ir. J.M. de Bruijn, WFA Utrecht, 5 september 1992.
35. John F. Lucy, *There's a Devil in the Drum,* Londen, 1938.
36. *Ghosthunters, an Inca Production,* i.o.v. Discovery Channel, 1996.
37. Jean de Bloch, *La Guerre,* Parijs, 1899.
38. Dr. E. Osty, *La connaisance supra-normale,* Parijs, 1922.
39. *Light* (Brits tijdschrift), Londen, 12 december 1914.
40. W. Deonna, *La recrudescence des superstitions en temps de guerre et les statues à clous,* Basel, 1916.
41. Perrot Phillips & Roger Hammond, *Into the unknown,* Londen, 1979.
42. H. Missalla, *Gott mit uns; die deutsche katholische Kriegspredigt 1914-1918,* München, 1968.
43. *Argonnenbote* Nr. 2, december 1992. Periodiek van het Deutsche Erinnerungskomitee Argonnerwald 1914-1918. Het verhaal verscheen eerder in het *Erinnerungsblatt Nr. 6 des Kreizes Alter Metzer.*
44. Rick Small, *A Jewish Catholic Saint may hold the key to the Kingdom of*

Mutual Understanding. Opstel. Publicatie van de Connecticut Jewish Ledger, USA, 19 november 1998.

45. K. Hammer, *Deutsche Kriegstheologie (1870-1918),* München, 1971.
46. Professor Dr. Phillipp Witkop (verzameld door), *Oorlogsbrieven van Duitse Studenten,* Amsterdam, 1917.
47. Alan Wilkinson, *The Church of England and the First World War,* Londen, 1978.
48. Luc Schepens, 14/18; een oorlog in Vlaanderen, Tielt, 1984.
49. Rene Gaell, *Priests in the Firing Line,* Londen, 1916.
50. Lyn Macdonald, *Voices and Images of the Great War,* Londen, 1988.
51. Elsa Barker (written down by), *War letters from the living dead man,* Londen, 1915.
52. Robin Collins, *Ruimtekolonie Aarde,* Amsterdam, z.j.
53. Raimond van Aquilers, *Historia Francorum qui ceperunt Hierusalem.* Middeleeuwse Franse kroniek. Beschrijving van de eerste kruistocht, geldt als zeer betrouwbaar.
54. Eginhard (ca. 770-840), *Vita Caroli* (biografie van Karel de Grote door tijdgenoot).
55. P.F. M. Fontaine, *De onbekende Hitler,* Baarn, 1992.
56. Joachim Fest, *Hitler eine Biographie,* Frankfurt am Main, 1973.
57. Alan Bullock, *Hitler; leven en ondergang van een tiran,* Amsterdam, 1983.
58. Balthasar Brandmayer, *Meldegänger Hitler,* Überlingen, 1932.
59. Norman H. Baynes, *The speeches of Adolf Hitler (deel 1),* Oxford, 1942.
60. Winifred Loraine, *Robert Loraine, actor, soldier, airman,* Londen, 1938.
61. *Mavors,* maandschrift voor officieren en reserveofficieren van alle wapens en diensten. Onder redactie van D.H. Schilling, Arnhem, 1936.
62. H.G. Wells, *The War in the Air,* Middlesex, 1967 (eerste editie 1908).
63. Roy Jenkins, *Asquith,* Oxford, 1960.
64. Lord George Allardice Riddell, *Lord Riddell's Intimate. Diary of the Peace Conference and After,* Londen, 1933.
65. Carlo D'Este, *Patton, a genius for war,* New York, 1996.
66. W.H. Salter, *Ghost and Apparitions,* Londen, 1938.
67. Edwin Campion Vaughan, *Some Desperate Glory,* Suffolk, 1981.
68. Louis Barthas, *De oorlogsdagboeken van Louis Barthas, 1914-1918.* Vertaald door Dirk Lambrechts, Amsterdam, 1998, tweede druk 1999.
69. Will R. Bird (de memoires van), *Ghost Have Warm Hands,* Ontario, 1997.
70. Raymond Lamont Brown, *A Casebook of Military Mystery,* Cambridge, 1974.
71. Heinz Liepman, *Rasputin,* Gütersloh, 1957.
72. Martin Middlebrook, *The First Day on the Somme,* Londen, 1971.
73. H.C. Moolenburgh, *Engelen; als beschermers en helpers der mensheid,* Deventer, 1983.

74. H.C. Moolenburgh, *Een engel op je pad; honderd en één engelenervaringen,* Deventer, 1991.
75. Harold Owen, *Journey from Obscurity,* Oxford, 1968.
76. N. Ferguson, *The Pity of War,* Elm, New York, 1999.
77. Romain Vanlandschoot, *Kapelaan Verschaeve,* Tielt, 1998.
78. Dick de Soeten, *Hopi; deur van verleden en toekomst,* Deventer, 1992.

HOOFDSTUK 2

DE OORLOG DIE NIET EINDIGDE

1. Raymond Lamont Brown, *A Casebook of Military Mystery,* Cambridge, 1974.
2. Brief aan auteur d.d. 29 mei 1998.
3. Telefoongesprek d.d. 1 mei 1998.
4. Rose E.B. Coombs, *Before endeavours fade,* Londen, 1976.
5. Brief aan auteur d.d. 10 september 1998.
6. Brief aan auteur d.d. 26 juni 1998.
7. Brief aan auteur d.d. 9 januari 1999.
8. E-mail aan auteur d.d. 24 september 1998.
9. E-mail aan auteur d.d. 9 juli 1998.
10. Dr. H. Jonker, *Sporen van een slag,* Haarlem, 1981.
11. *Ghosthunters, an Inca Production,* i.o.v. Discovery Channel, 1996.
12. E-mail aan auteur d.d. 28 juni 1999.
13. Brief aan auteur d.d. 5 oktober 1998.
14. Fax aan auteur van Charles Plier, Neunhausen, Hertogdom Luxemburg d.d. 27 augustus 1998.
15. Betty Schneider, *Bei den Toten von Verdun,* Trier, z.j.
16. German Werth, *1916; Schlachtfeld Verdun,* Berlijn, 1994.
17. E-mail aan auteur d.d. 7 juli en 24 september 1998.
18. Brief aan auteur d.d. 25 juni 1998.
19. E-mail aan auteur d.d. 6 december 1998.
20. E-mail aan auteur d.d. 12 augustus 1998.
21. E-mail aan auteur d.d. 29 juli 1998.
22. Brief aan auteur d.d. 2 juni 1998.
23. Horst Rohde & Robert Ostrovsky, *Militärgeschichtlicher Reiseführer Verdun,* Herfort/Bonn, 1992.
24. E-mail aan auteur d.d. 11 oktober 1998.
25. Sylvia Cranston & Carey Williams, *Reincarnation; a New Horizon in science, religion and society,* New York, 1984.

26. I. Stevenson, The Evidence for Survival from Claimed Memories of Former Incarnations. In *Look* (Amerikaans periodiek), 20 Oktober 1970.
27. Telefoongesprek met auteur medio oktober 1997.
28. Brief aan auteur d.d. 4 juni 1998.
29. Brief aan auteur d.d. 20 december 1998.
30. Diverse schrijvers, *Despre Nemurire; fenomene verificate si verificabile*.Vertaling uit het Roemeens, z.j. (recent), naam uitgever ontbreekt. ISBN 973.97152.6.5.
31. *Bres, kroniek van een Nieuwe Tijd/Wereld in beweging*. Nummer 10, februari/maart 1985.
32. E-mail aan auteur d.d. 9 juli 1998.
33. Brief aan auteur d.d. augustus 1999.

KOM VANAVOND MET VERHALEN,
HOE DE OORLOG IS VERDWENEN
EN HERHAAL ZE HONDERD MALEN:
ALLE MALEN ZAL IK WENEN.

Leo Vroman, *Vrede*

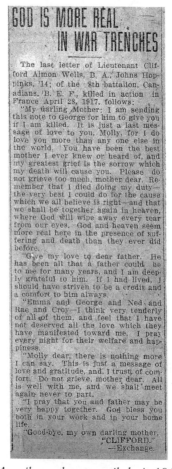

Amerikaans krantenartikel uit 1918

Plaatsnamenregister

Personenregister

Begrippenregister